木彫《ぼ》りカヌーを手足のようにあやつって、沖へと連れ出してくれる。
ぼくがバランスを崩《くず》して転覆《てんぷく》する２分前の写真。

近所のおばちゃんはいつだって豪快《ごうかい》だ。

雨が降ってもぬかるみにタイヤを
取られても、トラクターは進む。
島の出張は険しい（p.59)。
お尻《しり》少しを浮かしておくのが、
ケガをしないコツ。

村に建てられた学校には、
フォニスと名づけられた鳥
がいつも遊びに来る（p.64)。

イグアナの仲間。
教室にいたところを
子どもたちに捕《と》らえ
られた。

「クラ」と呼ばれる伝統的な釣《つ》りのしかた。
ココナツの葉で石を軽く結び、重しにする。

釣《つ》れた魚は豪快《ごうかい》にゆでる。
とってもママフェファラ
（おいしい）！

島の伝統的な踊りを披露《ひろう》（p.121）。
木の皮からできた衣装《いしょう》を身にまとう。

図書室でビブリオバトル。
本棚《ほんだな》にはオーストラリアから送られてきた絵本などが並ぶ。

チャンプ本獲得《かくとく》！

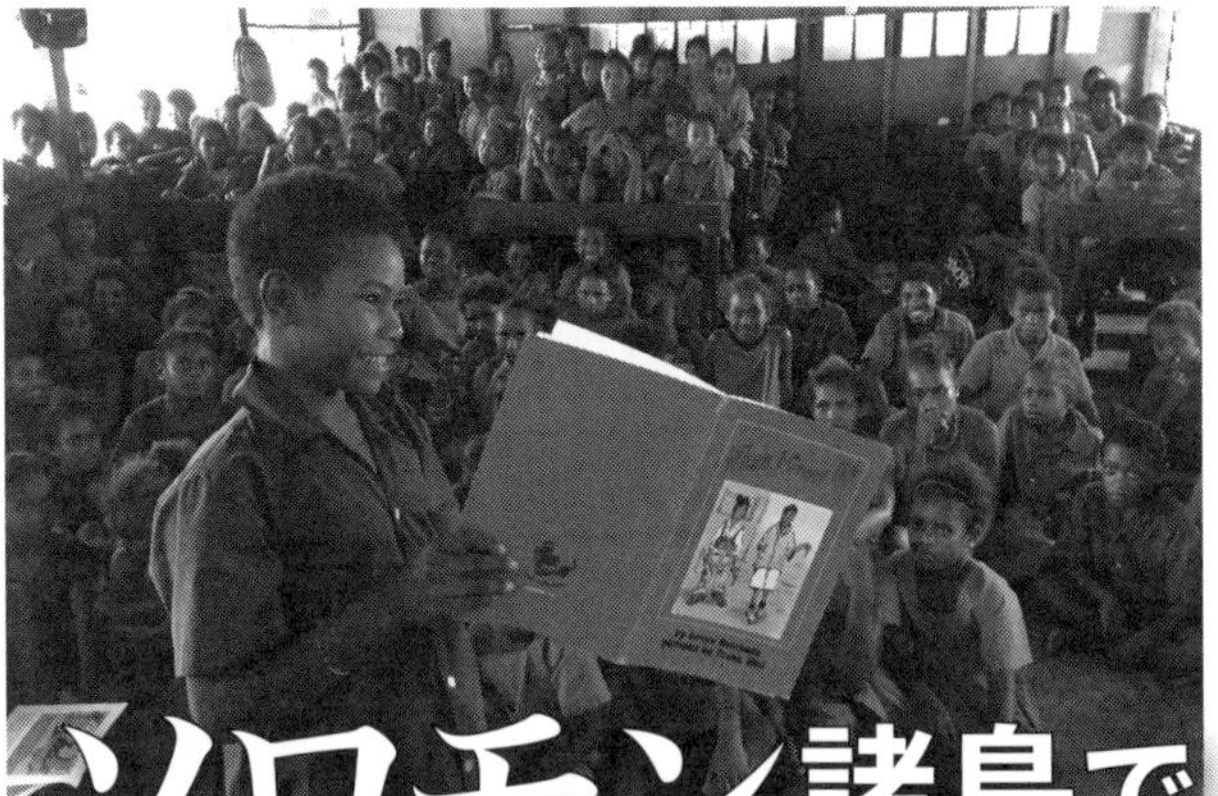

ソロモン諸島で ビブリオバトル

Bibliobattle in Solomon Islands

ぼくが届けた本との出会い

益井 博史
Masui Hirofumi

子どもの未来社

MAP

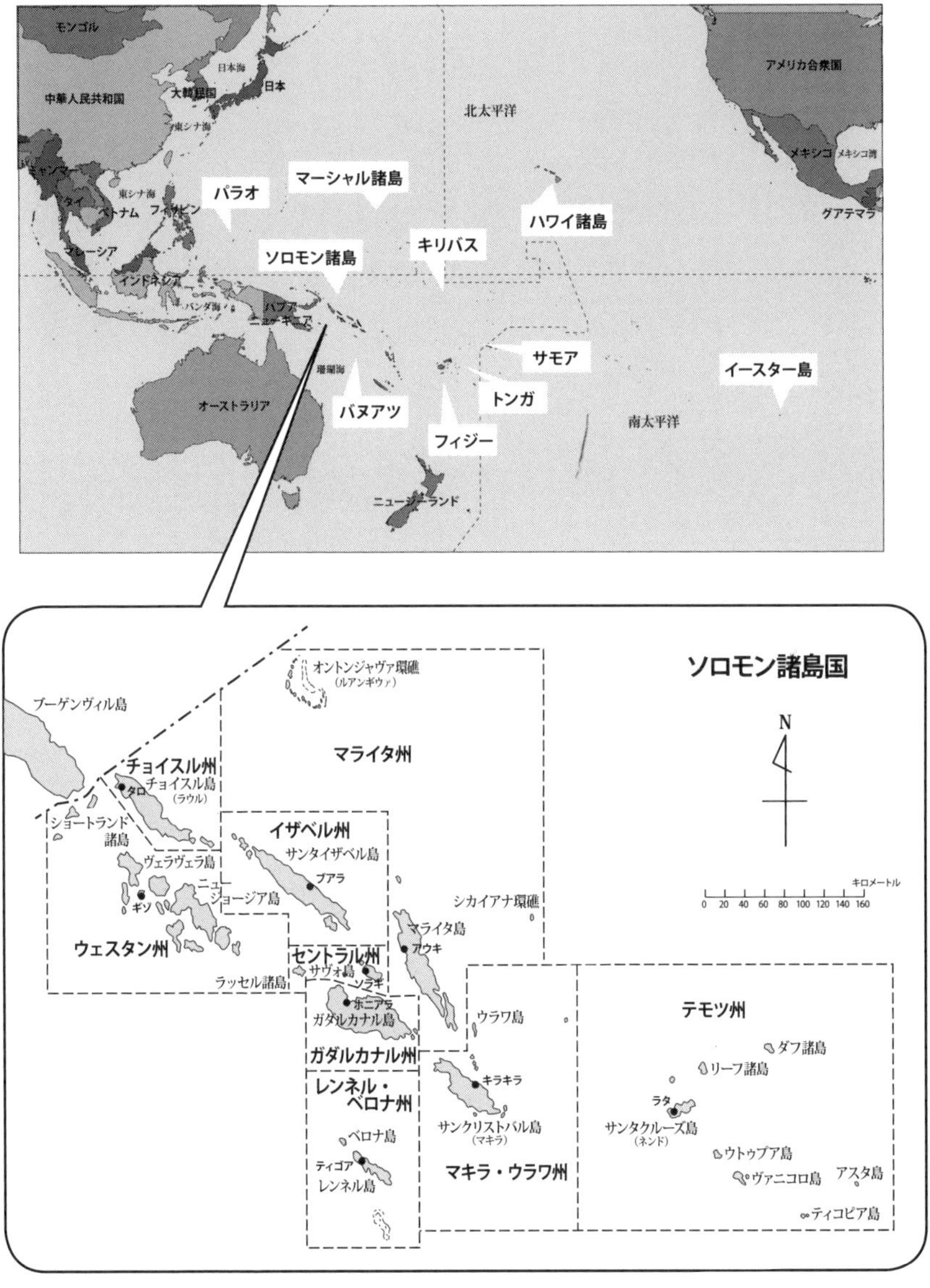

モンゴル
中華人民共和国
大韓民国
日本海
日本
東シナ海
北太平洋
アメリカ合衆国
メキシコ
メキシコ湾
グアテマラ
ミャンマー
タイ
ベトナム
フィリピン
パラオ
マーシャル諸島
ハワイ諸島
キリバス
ソロモン諸島
マレーシア
インドネシア
バンダ海
パプアニューギニア
サモア
イースター島
珊瑚海
オーストラリア
バヌアツ
トンガ
フィジー
南太平洋
ニュージーランド
ソロモン諸島国
N
キロメートル
0 20 40 60 80 100 120 140 160
オントンジャヴァ環礁
(ルアンギウァ)
ブーゲンヴィル島
マライタ州
チョイスル州
チョイスル島
(ラウル)
タロ
ショートランド諸島
イザベル州
サンタイザベル島
ブアラ
ヴェラヴェラ島
ニュージョージア島
ギゾ
シカイアナ環礁
マライタ島
アウキ
ウェスタン州
セントラル州
サヴォ島
ツラギ
ラッセル諸島
ホニアラ
ガダルカナル島
ウラワ島
ガダルカナル州
テモツ州
ダフ諸島
リーフ諸島
キラキラ
レンネル・ベロナ州
ラタ
サンタクルーズ島
(ネンド)
サンクリストバル島
(マキラ)
ベロナ島
ティゴア
レンネル島
ウトゥプア島
マキラ・ウラワ州
ヴァニコロ島
アヌタ島
ティコピア島

ソロモン諸島でビブリオバトル

ぼくが届けた本との出会い

もくじ

1　青と緑の島へ

深緑色しかない。

眼下に、一面森が広がっている。熱帯気候のためか、葉の色が濃《こ》い。森から目を離《はな》すと、これまたどこまでも深く青い海が広がっている。島のまわりだけ海の色が鮮《あざ》やかで、思わず見とれてしまう。サンゴ礁《しょう》に囲まれているからだろうか。

ソロモン諸島の首都ホニアラから、北へおよそ六〇キロメートル。ぼくは今、これから暮らすことになるサンタイザベル島、ブアラのまちに向かう飛行機の中にいる。

飛行機といっても、ジャンボジェット機ではない。生まれて初めて乗った、定員十数名のプロペラエンジン機だ。なんとなく、ジブリの映画『紅の豚《ぶた》』に出てくるポルコの飛行艇《ひこうてい》を思い出す。

そしてさっきからやたら肌寒《はだざむ》い。機体が上空に行くにつれて、冷気が薄《うす》いボディーを突《つ》き抜《ぬ》けているのだ。ソロモン諸島について一カ月弱、首都でようやく

飛行機から見たサンタイザベル島（奥）。太平洋の波がサンゴ礁《しょう》で遮《さえぎ》られ、島のまわりは穏《おだ》やか。

蒸《む》し暑《あつ》さになじんできた身体がふるえる。

それにしても、森林しか見えない。本当に人が住んでいるのだろうか。いや、目を凝《こ》らすと、開けた場所に家々が固まっている。あれが村か。まわりは全部森だけれども、ぼくがこれから暮らすのもああいう場所なんだろうか。

機体が向きを変え、着陸態勢に入るらしい。パイロットが忙《いそが》しそうに手元のレバーを動かしている（客席から丸見えなのだ）。あれ？　空港らしきものが見えない。もしかしたら、空港ってあの草むらのこと？　いや、そんなに広くもないし、うそでしょ？　まさか不時着じゃないよね……。

ばくばくと動くぼくの心臓をよそに、機体は着実にその草むらに向け高度を下げていく。木々が窓の外を流れるように過ぎる。

がががががが！

振動《しんどう》と轟音《ごうおん》。

しかし、飛行機はバラバラになったり火を噴《ふ》いたりすることなく、無事草むらの中に降り立った。手に汗《あせ》にぎっていたのはぼくだけで、まわりの乗客は涼《すず》しい顔で降りる準備を始めている。

時は二〇一六年二月一〇日。これから二年間、ぼくはこの島で青年海外協力隊（ＪＯＣＶ：Japan Overseas Cooperation Volunteers）として暮らしていく。大学卒業後、就職した会社でのさまざまな出会いから、一年ほど前に、独立行政法人国際協力機構（ＪＩＣＡ）が実施《じっし》するボランティア事業である青年海外協力隊へ、勇気をふるいおこして応募《おうぼ》した。応募《おうぼ》条件は二〇〜六九歳《さい》で日本国籍《こくせき》を持ち、「自分の持っている技術・知識や経験を開発途上《とじょう》国《こく》の人々のために生かしたい」思いがある人ということ。その活動分野は農林水産、保健衛生、教育文化、スポーツ、計画・行政など多岐《たき》にわたり、派遣《はけん》期間は原則二年間だ。

ぼくが審査《しんさ》に通ったのは、「青少年活動」と呼ばれる職種だった。現地の青少年の育成に携《たずさ》わる活動だが、専門的で高度な技術というより、現地のニーズに合わせて柔軟《じゅうなん》に活動することが求められる。幅広《はばひろ》い人が応募《おうぼ》できるが、その分「なん

飛行場とは舗装《ほそう》されているもの、というのは思い込《こ》みだった。

でもやれ」という感じ。ぼくがすることになった内容は、派遣先《はけんさき》のまちの各学校を巡回《じゅんかい》し、児童・生徒の読書習慣の定着を目指して、先生とともに本の環境《かんきょう》を整備したり、本を活用したイベントやワークショップを行う、というもの。要するにソロモン諸島の子どもたちに「本っておもしろいよ！」と伝えることだ。

その後、二カ月間にわたりＪＩＣＡ駒ヶ根《こまがね》訓練所での研修合宿が行われた。そこでの語学学習は必須《ひっす》。そのほかにも「日本研究」のグループワークをしたり、感染症《かんせんしょう》やＮＣＤ（生活習慣病）、心臓マッサージや止血法等々、多くの講習があった。また、キャンプを通して、電気や食糧《しょくりょう》が制限された状況《じょうきょう》で、工夫して生活する訓練もあった。

ソロモン諸島に関しては、自然のすばらしさ、美しさのほかに、「お風呂《ふろ》は川らしい」「毒グモがいるらしい」「シークロコダイルとやらもいるらしい」「マラリア菌《きん》を媒介《ばいかい》する蚊《か》がいる」……と、さまざまなうわさを聞き、胸には期待と不安がうずまいていた。

そして今、ぼくはＪＯＣＶの二〇一五年度三次隊として、派遣先《はけんさき》であるソロモン諸島のサンタイザベル島に降り立った。

2　ブアラのぼくの家

ぼくが暮らすことになるブアラは、人口二千人ほどの小さなまち。道路はまったく舗装《ほそう》されておらず、足をすべらせそうな急な坂を息を切らせて登ると、ぼくのニューハウスが見えてきた。電気・ガス・水道が使えて、ベッドルームが四つもあるなかなかの豪邸《ごうてい》だ。

ウォシュレットはないけど、立派な洋式の水洗トイレもある。そしてベランダから見えるオーシャンビューがたまらない。

どうやらブアラの一般的《いっぱんてき》な住宅よりも、かなりいい物件のようだ。というのも、JICAはある程度安全が確保された家にしか隊員を住まわせない。途上国《とじょうこく》でそういう場所を探すと、どうしてもいい家になってしまうことが多いからしい。ぼくと入れちがいで帰国した隊員が住んでいた家だから、たくさんの備品を使えるのもありがたい。

とはいえ、部屋《へや》にはどこからか蚊《か》や羽虫がじゃんじゃん入ってくるし、お湯は

ベランダからのながめ。日中屋内が暑いので、かなりの時間をこのベランダで過ごした。

出ないから水シャワーに慣れるのは時間がかかりそうだ。そして電波状況《じょうきょう》がわるくて、携帯《けいたい》電話ではネット通話どころかメールを送るのもむずかしい。さようならTwitter、バイバイYouTube……。

また、日本のようにガス管が整備されていないので、一〇キロほどのプロパンガスのボンベをお店まで運んで交換《こうかん》してもらわないといけない。ちなみに、ぼくはこのボンベを一カ月に一回くらいで使い終わり、せっせと交換していた。でもあとから聞いた話では、三カ月以上使えるものだという。ぼくの家では、コンロまでつなぐ管のどこかで少しずつガスが漏《も》れていたらしい。危《あや》うく火事になるところだった。ぼくがそれを知って大量の冷《ひ》や汗《あせ》をかくのは、半年ほど先の話になる。

いっしょに来てくれたＪＩＣＡの職員さんも翌日ホニアラに帰ってしまったので、いよいよブアラに日本人はぼく一人だけ……。まだソロモンの常識もわからなければ、言葉もろくに理解できない。

ソロモン諸島に到着《とうちゃく》後、ぼくたち新規隊員は首都ホニアラで、三週間ほどピジン語のレッスンを受けた。ソロモン諸島の公用語は英語だが、島や集落ごとにさまざまな言語がある。ぼくが暮らすサンタイザベル島にもいくつかの言語があり、ブアラではマリンゲ・ラングスという現地語がよく使われている。異なる現地語同士の人が会話するときには、主に英語ではなくピジン語を使う。

ピジン語の基本的な文法は英語と同じだが、冠詞《かんし》も複数形も三人称《さんにんしょう》単数もない。語順の入れ替《か》えもしないし、"at" "in" "on" などの、日本の中学生が苦労する前置詞は、だいたい"long"※を使っておけば問題ない。

同じ音を二回重ねる単語が多いのも特徴《とくちょう》で、kaikai（カイカイ＝食べる）、laflaf（ラフラフ＝笑う）、toktok（トクトク＝話す）、tingting（ティンティン＝考える）、singsing（シンシン＝歌う）、pigpig（ピグピグ＝豚《ぶた》）……。なんとなく楽しくなっちゃう言葉だ。ただ文法がわりとざっくりしているとはいえ、ヒアリングはむずかしい。

日本語を話す相手もいない任地ブアラで、ぼくはこれから本当にやっていけるんだろうか……。

※"long"を使った例文
I slept on the bed in my house.（私は家のベッドで寝た）は、
Mi slip long bed long haos blo mi. になる。

3　壁《かべ》の隙間《すきま》から見えた光

ソロモン諸島での職場「イザベル州教育局（ＩＥＡ）」は、ぼくの家から十五分ぐらい歩いたところにある。イザベル州内におよそ七〇ある幼稚園《ようちえん》・小学校・中学校・高校の予算配分や人事異動、教育改善等を管轄《かんかつ》する部署だ。

勤務初日、八時半に来るように言われて行ったけど、だれもいない……。不安になりながらも建物の外で待っていると、ブアラに着いた日に上司だと紹介《しょうかい》されたチーフらしき人が一時間後にやって来た。この人に八時半に来いって言われたんだけどどな。文句を言おうにもピジン語が出てこないので、とりあえず「ハメラネケリー！（おはようございます！）」と言う。

「前のＪＩＣＡボランティアが使ってた机だよ。ここに座《すわ》ってね」

と、案内してくれた。そしてあとは何もなし。な、何をしたらいいんだろう？まずはとにかくあいさつが大事だ。さらに遅《おく》れて来たスタッフたちに「ハメラネケリー！」と元気に声をかける。みんな、ぼくの現地語にちょっと笑って、気さくに話しかけてくれる。
でも、そこで決定的なことに気づく。みんな、何を言っているんだろう……？　そしてぼくは何て口にしたらいいんだろう……？　まったく聞き取れないし話せない。おかしいな、日本での七〇日間の事前訓練《くんれん》と、ソロモンに来てからの語学訓練《くんれん》はいったい何だったんだ。

とにかくみんなの顔と名前を覚えなければ……。あわてる心を抑《おさ》えつつ、ノートに事務所内の地図を描《か》き、職場の人たちの名前を聞いて、席ごとに埋《う》めていこう。といっても、ノートを指差しながら「名前…あなた…」とたどたどしく言って、直接書きこんでもらうだけだ。チーフらしき人は、ジェームスという名前だとわかった。でも、それも十五分くらいで終わってしまった。

うーん、もっと職場を見学してみようかな。一階には図書館がある。ただ、何かのダンボールが大量に運《はこ》びこまれていて、本棚《ほんだな》が隠《かく》れている物置き状態。結局、ほかにやることを

図書館のようす

見つけられないまま、一日目が終了《しゅうりょう》した。

ぼくは、イザベル州教育局からの「小・中学生の読書習慣の向上」という要請《ようせい》を受けて、ここに来ている。でも、それは職場の業務としてどれくらいの優先順位なのだろうか。そして、どういう活動を期待されているのだろうか。気になるものの、それをスタッフにどう聞いていいのかわからない。

二日目、三日目……、話せないままなので、徐々《じょじょ》に話しかけられることもなくなっていく。会議もあったが、たぶんピジン語と英語と現地語混じりで行われたのであろう議論は、ぼくの耳をむなしく通りぬけていった。

ま、まずいぞ。まだ地図をノートに描《か》いただけで、何一つ進展していない。このままでは活動どころか、完全に孤立《こりつ》してしまう……。この状態で二年間、だれとも会話できなかったらどうしよう。

あせる気持ちがつのっていくなかで、とりあえずパソコンを開く。恐《おそ》ろしく遅《おそ》い速度だけど、事務所ではインターネットを使うことができた。ソロモン諸島やほかの国で活動している隊員のブログをひたすら探して読んでいく。職場のスタッフからは、「あいつ、何やってんだ?」的な、冷たい視線を感じる(気がする)が、とにかく何かヒントを探さないと……。
ふと、学級通信みたいなものを壁《かべ》に貼《は》りだしてる隊員の記事が目に入った。これは使えるかもしれない！　ぼくも、自己紹介《しょうかい》や気づいたことをミニ新聞にして、貼《は》りだしてみようかな。この島は人口が少ないせいか、首都で発行されている新聞が届かないから、きっとみんなは新聞を読みたいはずだ。新聞記者だと勝手に名乗ってあちこちまわれば、いろいろな話も聞くことができたり、写真も撮《と》りやすくなるのではないだろうか。

Buala News Paper

SMILE!

Date : 12/02/2016　Publisher : HIRO

A new JICA volunteer HIRO came!

Ablatha Keli!

My name is HIRO (Hirofumi Masui)!

I'm a new JICA volunteer. I came from JAPAN on 6/3/2016!

I work at the IEA Library! I will stay in Buala for 2 years!

I love beautiful view, clean air, and kind people in Buala!

I'm not good at Pijin and English, but I want to know about Buala and Solomon more!

Please teach me Buala culture and delicious kaikai!

At first time when I came to Buala by OBM, I had big fear about new life.

But, now my colleagues gave me heart-warming comments.

Then, many clerks and walkers gave me smiles and greetings.

So, I could be feel at ease.

Thank you for your kindness in Buala!!

I like playing guitar and sing songs.

But I just know some Japanese songs.

Please teach me your favorite song, and let's sing together!

At last, I write my favorite phrase.

"The universal language of the world is not English, but a smile"

Smile olowe!

イザベル新聞第一号

まさに一石二鳥だ。さっそく第一号を作ってみよう。
「日本から来たヒロです！　二年間ブアラで暮らします。ぼくにブアラのことを教えてください！」
すばらしくシンプルな記事ができた。チーフに
「これを図書館に貼《は》っていい？」

と聞いてみると、

「おお、いいよ。たくさん印刷してイザベル州内の学校に渡《わた》そう！」

というまさかの反応が……。あぁ、作ってよかった！

ぼくが書いた新聞で、「こんなこと思ってたのか」「こいつも不安なんだなぁ」と感じたのか、ほかのスタッフもものすごく興味を持ってくれた。職場にも少し打ちとけた空気がただよってきたような気がする。もしかしたら、新しくきた日本人が何を考えているかよくわからず、みんな警戒《けいかい》気味だったのかもしれない。

職場をあとにして、まちでハンモックで寝《ね》ていたおじさんにも新聞を手渡《てわた》してみた。すると、おじさんもすごく喜んでくれた。なるほど、会話はまだまだできないけれども、伝えたいことは紙に書いておけばいいんだ！

これで、なんとか小さな一歩を踏《ふ》みだしたように思う。これからもたくさん壁《かべ》がありそうだが、少し光が見えてきた。

4　作戦を練る

青年海外協力隊は現在、世界の七〇か国に派遣《はけん》されている。新規隊員が先輩《せんぱい》の仕事を引き継《つ》ぐ場合もあれば、自分で一から開拓《かいたく》する場合もある。派遣されてすぐ仕事を任される人もいれば、職場の都合で何カ月もやることがない人もいる。ぼくの場合は、イザベル州教育局では新規の仕事として、「小・中学生の読書習慣の向上《こうじょう》」を目的とした要請《ようせい》をされた。だから、引き継《つ》ぐようなものはなく、まったくのフリーダム。しかし、それだけに何をしていいかわからない。

とりあえず、職場の一階にある図書館に行ってみる。担当のスタッフさん以外だれもいない。蔵書は二〇〇〇冊くらいで、全部英語で書いてあるらしい。絵本を一冊借りて、デスクで読んでみる。うーん、ストーリーがよくわからない。自慢《じまん》ではないが、ぼくはピジン語もできないけど英語だってろくにできないのだ。青年海外協力隊は英語ができなければ入れないと思っている人がいるかもしれないけれど、じつはそんなことはない。国や仕事内容にもよるが、TOEICや英検の点が低くても合格できる分野もたくさんある。とはいえ、読書を推進するはずのぼくが、絵本のストーリーもわからないなんて、下手《へた》なジョークみたいだ。なるべく簡単そうな本から読んでいくことにしよう。

自己紹介《しょうかい》新聞をきっかけに光が見えた職場で、同僚《どうりょう》とのコミュニケーションという名の雑談を一週間くらい続けてみた。もちろん満足に話せるわけではないので、単語を組み合わせて互《たが》いに察し合う、正解かどうかはわからない会話だ。「暑い」「日本は暑いか?」「寒い、今」みたいな感じ。それでも、教育局では「読書習慣の向上」というふわっとしたイメージがあるだけで、目標も手段もまったく決まっていないことがわかってきた。

ひとまず、活動の方針を勝手に考えることにする。差し当たって一番の問題は、ソロモン諸島の子どもたちがどれくらい読書しているのかがわからないことだ。状況《じょうきょう》が見えないことには手の打ちようがない。しかも、教育局はイザベル州の七〇近い学校を管轄《かんかつ》しているらしいのだが、実際のところどれくらいの頻度《ひんど》で周回しているのかもわからない。各学校の読書環境《かんきょう》を把握《はあく》しようとしたら、二年間なんてあっという間に終わってしまいそうだ。

そこでぼくが考えたのが、「モデルケース戦略」だ。とりあえずモデルになる学校やクラスを選んで、読書推進をしてみる。それがうまくいったところで、別の学校にも広げていくという作戦だ。

その作戦についてどう思うか、チーフのジェームスに聞いてみる。

“Hem i oraet! Continue.”※

とのこと。よし、このプランを練ってみよう。

帰り道、マーケットでロッティ（小麦粉の皮の中にヌードルやマッシュルーム、タマネギが入っている揚《あ》げパンのようなもの。一個二ドル）を買って、プランを実行するためにはどうしたらよいのかを考えてみた。モデルとなる学校は、現実的には一つだけだ。ぼくの生活圏内にある唯一《ゆいいつ》の公立校、Jejevo Primary / Secondly School（ジェジェボ小・中学校）は日本だと小学一年生から中学三年生までが通っている学校だ。生徒数は四〇〇名ほど。学年はバラバラの約一〇名ほどの生徒が一週間に一度くらい教育局に来て、図書館を使っている姿もみかける。生徒たちは絵本を見た

※“Hem i oraet! Continue.
ヘミオーライ！コンティニュー
意味は「いいね！　続けて」

イザベル州教育局の図書館。本棚《だな》の手前には学校に配布する教材が積まれている。

り、たまに借りたりしている。まずは、この学校の子どもたちがどれくらい本を読むのか知りたい。ひとまず王道でアンケートを取ってみよう。

翌日、それをジェームズに言うと、またしても〝Hem i oraet!〟という答え（この返事はそれからも何度も聞くことになる）。さぁ、やってみるぞ！

ネットで検索《けんさく》した日本の読書調査を参考にしてアンケートを作成し、学校に電話してアポイントを取ることにした。電話は表情が伝わらないし、ジェスチャーが使えないので、今のぼくにはとてもハードルが高い。言うことを書き出して、同僚《どうりょう》に横についてもらい、深呼吸して「いざ、出陣《しゅつじん》！」と決意を固め、教わった携帯番号《けいたいばんごう》を押《お》してみた。

う～ん？　電波がわるいのかなかなかかからない。話す以前にもハードルがあるとは……。何度かかけ直してようやくつながったが、情けないことに最終的にはほぼ同僚《どうりょう》に話してもらった。でもそのおかげで、一コマ分の時間（四〇分間）を使い、小学五年生と中学二年生がアンケートを書いてくれることになったのだ。

5　初めての仕事

ジェジェボ小・中学校でのアンケート調査のため、教育局で図書館を担当している女性のアネーラといっしょに学校にやって来た。赴任《ふにん》しておよそ一カ月、やっとオフィス以外の場所での仕事に行ける！

今回は、生徒と先生を対象にしたアンケートを作ってきた。職員室で先生方にあいさつした後、小学五年生はアネーラに任せ、中学二年生のクラスでアンケートの説明をする。ぼくのピジン語は大丈夫《だいじょうぶ》かな。伝わったのかはわからないが、みんな真剣《しんけん》に書いている。初仕事のすべりだしは上々だ。ぼくのテンションも上がってきた。

せっかく来たのだから、図書室を見せてもらうことにした。子どもたちはどれくらい利用しているん

一クラス 37 人。ソロモンでは鉛筆よりボールペンがよく使われていた。

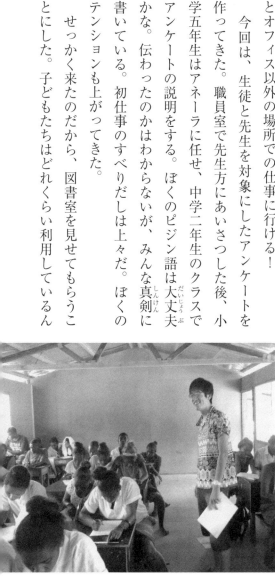

のかを校長先生に聞いてみると、「図書室は工事中で六月まで使えないよ」とのこと。さらに、「中の本はカビと虫のせいでほとんど読めないんだよ」と言う。

お、おかしいな。ぼくのいる教育局の図書館に来る子どもたちは、今のところ多くて週に一〇人くらいだ。しかも、ソロモン諸島には書店がない。首都にキリスト教の聖書を扱《あつか》うお店はあるものの、この町はもちろん、国自体にいわゆる本屋さんがないのだ。ということはもしかたら、ソロモン諸島の子どもたちってそもそも物理的に本を読むことができないのではないか？

ザワザワわき立つ不安を胸に事務所へと戻《もど》り、回収したアンケートを集計してみた。ちなみに質問項目《こうもく》は、インターネットで調べたときに、事務所の回線でヒットした読書に関する調査を参考にした。このサイトの子どもたちの読書傾向《けいこう》がどれくらい日本の平均に近いかはわからないが、勝手に日本代表としてジェジェボの生徒と比べてみた。

対象

学校	学年	人数
Jejevo Primary School	Grade5（小学５年生）	48 人
Jejevo Secondly School	Form2（中学２年生）	37 人

質問

項目	問	設問
読書の好き嫌い	1	あなたは本を読むことが好きですか？
読書の内容・状況・考え方	2	どれくらい本を読んでいますか？
	3	平均して１ヶ月に何冊くらい本を読みますか？
	4	本を読まない理由は何ですか？
	5	どんな本が好きですか？
	6	本を読むことは大切だと思いますか？
	7	どんな時本を読んでいてよかったと思いますか？
	8	大切だと思わないのはなぜですか？
家庭における読書環境《かんきょう》	9	小さいときに、本を読んでもらいましたか？
	10	それはだれからですか？
	11	家の人は、よく本を読んでいますか？
個人的に気になるので	12	お気に入りの本のタイトルを教えてください。

Q1　あなたは本を読むことが好きですか？

グラフの上がジェジェボ、下が日本の生徒。グラフからは、小学五年生も中学二年生も、読書を「好き」または「どちらかというと好き」と答えた割合はジェジェボの生徒の方が多いことがわかる。

ソロモン諸島の子どもたちの方が読書好きなのだろうか？

Q4　一カ月に何冊くらい本を読みますか？

小学五年生では五冊前後、中学二年生では三冊弱と日本と大差ない。

もしかしたら、ソロモン諸島での読書推進なんていらないのでは……？

Q5　どんな本が好きですか。あてはま

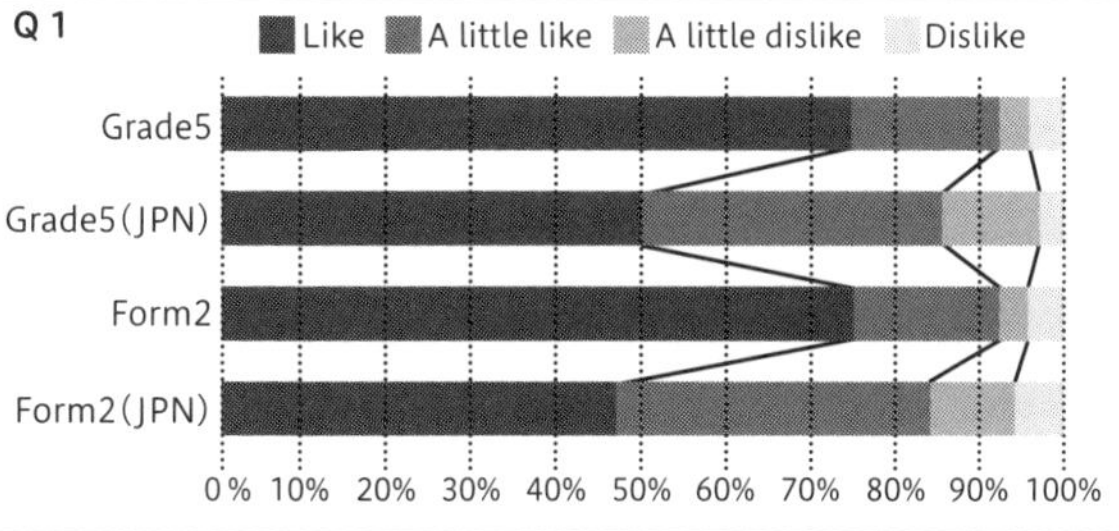

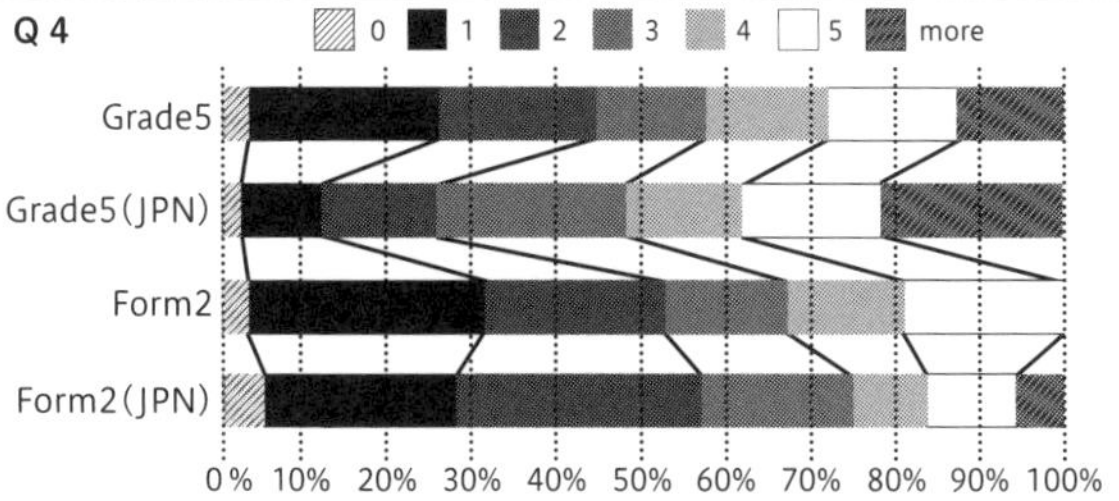

平均読書冊数／月

	小学５年生	中学２年生
Jejevo	4.8	2.8
日本	5.5	2.8

る主なものを二つまで選んでください。

ここで、ぼくは日本のサイトの選択肢《せんたくし》にはなかったジャンルを一つ加えた。するとその項目《こうもく》がダントツでトップに！

それはPicture book ＝絵本。日本だと「小説、物語」が圧倒的《あっとうてき》だ。でも、教育局の図書館に来る子どもたちを見たときに、ほとんどの子が絵本を手に取ってたので加えてみたが、やっぱりトップだった。

これで、少なくともアンケート調査が成立することはわかった。そして、ジェジェボの子どもたちは本を読むのが好きなんだ……ということもわかったように思えた。しかし、このアンケートの結果には大きな落とし穴があったのだ。

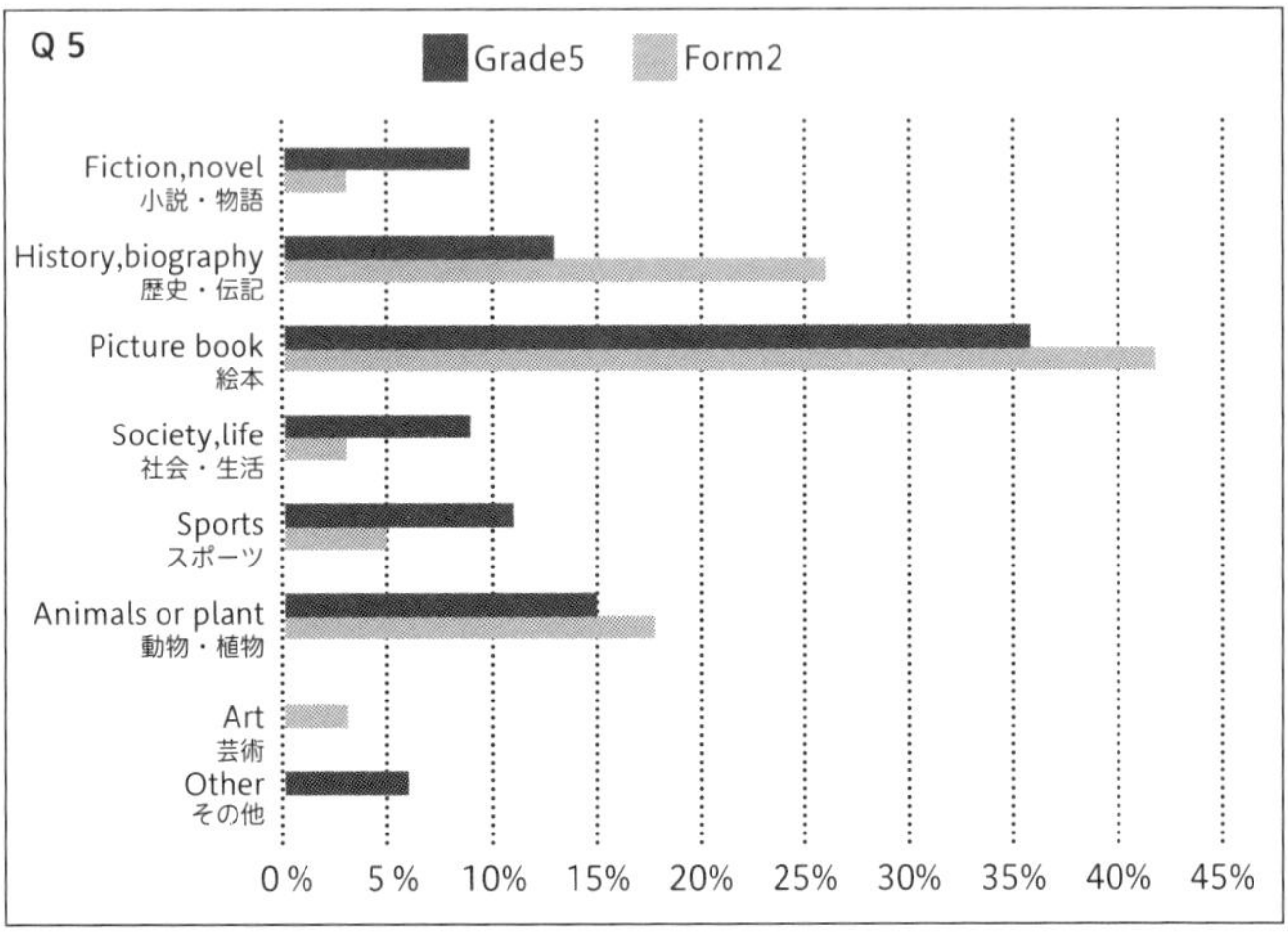

6　ソロモン諸島の子どもたちの読書事情

同僚《どうりょう》で図書館担当のアネーラに、アンケートの結果を伝えてみる。じつは、学校へのアポ取りの手助けをしてくれたのもアネーラ。今回の学校訪問にもいっしょに行ってくれて、アンケートを説明するときにも助けてもらった。ぼくが一番たよりにしている女性だ。

「ジェジェボの子どもたちは絵本好きだったよ」

と、初仕事の成果を意気揚々《いきようよう》と報告する。

「それは、絵本じゃなくて絵が好きなのよ。文章を読み通す自信がないから、絵を見て楽しんでいるだけなの。人が読んでくれるのを聞くのも好きよ」

〈本を読むのが好き〉という子どもたちの答えはそういうことだったのか。そうなると、アンケートの意味が変わってくる。それに、ここには書店はないし、学校の図書館は閉鎖《へいさ》中だし、教育局に来る生徒も多くない。

そして教員アンケートでは、半数の先生が「多くの生徒が教室で本を読んでいる」と答えている。う～ん、子どもたちはいったい何の本を読んでいるんだろう？

「それは※ヌズヌズ・ブックね」とアネーラ。

「え？　ヌズ……？」

「ソロモンの教科書よ」

生徒が教室で教科書を読んでいるというのは、ふつうのことなのに……と思っていると、アネーラはこう言った。

「でも、数が足りないからすべてのクラスにいきわたってるわけじゃないの」

子どもたち全員に教科書があるわけではないとすると……、謎《なぞ》は解けた！　つまり、アンケート調査と今の話をまとめるとこういうことになる。

- ●ジェジェボの子どもたちは読書が好きだが、それは本を読むことではなく絵をながめたり読み聞かせをしてもらうことを意味する。
- ●「生徒は教室で本を読んでいる」が、それは多くの場合教科書で、全員分はない。

アンケートから受けた印象は、アネーラの話を聞いてから、まったくイメージがちがってきた。日本の生徒と比べたらよいかと思って同じ質問にしてみたが、結《けっ》

※ヌズヌズ（Nguzu nguzu）
ウエスタン地方に伝わる水の精霊《せいれい》の名前

果《か》が同じ答えであっても、その意味までいっしょとはかぎらない。

そして、アネーラの話を聞いていてもう一つ感じたのは、言語の問題。日本の子どもたちの普段《ふだん》使う言葉は日本語だし、本は日本語のものを読む。ソロモン諸島の場合は、普段《ふだん》ピジン語とラングス（地方言語）を使っているが、図書館にある本はほぼオーストラリアかニュージーランドからの寄贈《きぞう》本であり、それは英語で書かれている。子どもたちからすると、いつもは使っていない外国語の本しかないようなものなのだ。しかも、その本にある文章の意味をたずねようにも、親世代は教育を満足に受けていないことが多いから、教えてはもらえない。そこに本の絶対数や保存状態の問題も加わるので、ソロモン諸島の子どもたちはなかなか厳しい読書事情のなかにいることになる。

アンケートの結果というより、調査をして浮《う》かんだ疑問から大事な教訓を得た。それは文化が異なる場所で質問を投げかけるときは、前提条件（たとえば「読書」の意味とか）がズレていないか、よく確認《かくにん》しないといけない、ということだ。

ソロモン諸島でのぼくのミッションは「読書推進」。さて、何からはじめようか。

◆ソロモン諸島の物語① 三五〇〇年前の大事件

ソロモン諸島の人たちは、東洋とも西洋ともつかない独特の美しい顔立ちをしている。さらに島や地域ごとに非常に多様な外見的特徴《とくちょう》を持っている。首都ホニアラを少し歩くだけで、明るい色から漆黒《しっこく》までさまざまな肌《はだ》の人とすれちがう。これらの特徴《とくちょう》は、※大洋州諸国の中でも稀《まれ》なものだ。その遠因は、三五〇〇年前に起こったある歴史的できごとにある。オーストロネシア人の拡散である。

　オーストロネシア人とは、もともと中国南部に暮らしていた人々だ。彼らは人口が増えるに従い、まず台湾《たいわん》に入植し（四五〇〇年前頃《ごろ》）、フィリピンやインドネシア西部に拡散

※大洋州＝オセアニア

した。そしてそれらの土地にもともと住んでいた狩猟《しゅりょう》採集民族に完全にとって替《か》わった。なぜそんなことが可能だったかというと、中国では食料生産が行われていたからだ。食料を生産して定住生活ができるようになると、狩猟《しゅりょう》採集をするより人口密度の高い社会をつくることができる。そこではより優《すぐ》れた武器や道具の発明が起きやすかったり、造船技術（二艘式《にそうしき》カヌーや両側に腕木《うでぎ》をつけたカヌー）や航海技術を持つことができたりする。また家畜《かちく》と共に暮らすことで、狩猟《しゅりょう》採集民が持たない感染症《かんせんしょう》への抵抗力《ていこうりょく》を持つことができる。

そうした武器や感染症《かんせんしょう》によって、それらを持たないフィリピンやインドネシアのもともとの居住民は徹底的《てっていてき》に追い出されてしまった。そして三五〇〇年前頃《ごろ》、オーストロネシア人はついにソロモン諸島に進出した。しかし、ソロモン諸島ではフィリピンやインドネシアとは少し異なる結果となった。なぜならすでに食料生産が行われていたからだ。

といっても食料生産が「発明」されたのはソロモン諸島ではなく、お隣《となり》のニューギニア高地であったと考えられている。ニューギニア人は、オーストロネシア人がやってくる何千年も前から、独自に食料生産を行っていた。彼らはすでにタロイモやヤムイモ、バナナを栽培《さいばい》し、熱帯病に対してもオーストロネシア人と同じくらい抵抗力《ていこうりょく》を持っていた。石器時代において、世界で最も人口密度が高かったのはニューギニア高地だったのだ。そして、近隣《きんりん》のニューギニア低地やビスマーク諸島、ソロモン諸島も同じく食料生産を行っていた。

そのため、ニューギニア高地の原住民はオーストロネシア人をほとんど寄せつけなかった。ニューギニア低地やビスマーク諸島、そしてソロモン諸島の場合はもう少し複雑で、もともと暮らしていた原住民の子孫と入植してきたオーストロネシア人の子孫との間において、何千年にもわたり婚姻《こんいん》などの交流が行われてきた。その結果、現在の遺伝子レベルでいえば、十五%がオーストロネシア人の血で、八五%がニューギニア高地人の血となっている。そして、ソロモン諸島の内部でも、集団間での移動や混血がくり返し起こった。ソロモン諸島の人々の美しい顔立ちや地域ごとに異なる外見的特徴《とくちょう》には、こういう背景《はいけい》がある。

ちなみに、オーストロネシア人はその後ソロモン諸島を越《こ》え、太平洋をさらに東へと進出していった。西暦《せいれき》千年までには、ポリネシア域とミクロネシア域に位置する居住可能な島々にことごとく住み着いている。これらの島々では、住民の入れ替《か》わりや原住民との婚姻《こんいん》関係は生まれなかった。オーストロネシア人は、これらの島々に到達《とうたつ》した最初の人類だったのだ。彼らは人類史上もっとも勇敢《ゆうかん》な船乗りだったのである。(インド洋をアフリカ方向に「西進」して、マダガスカル島に住み着いた人もいた)

大洋州の島々に住み着いたオーストロネシア人たちは、その後島ごとに驚《おどろ》くほど異なる社会を築き、それぞれの物語を歩むことになる。

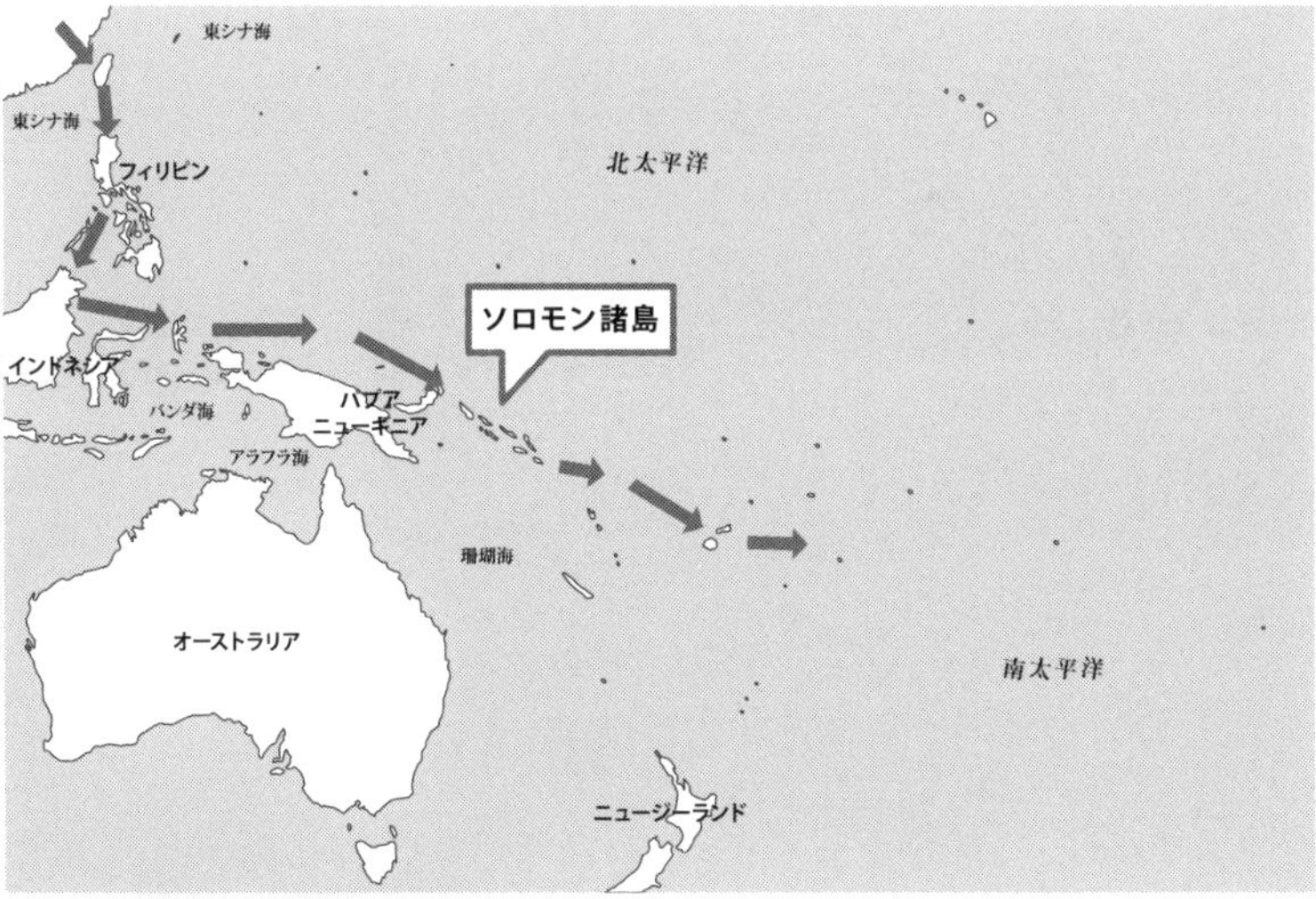

オーストロネシア人拡散《かくさん》の流れ

7 読書推進計画、始動！

ソロモン諸島の子どもたちの読書事情は、アンケートとアネーラからの話でイメージがつかめてきた。ぼくのミッションである読書推進をイザベル州全体に広げるために、まずは活動のモデルとなる大切な学校であるジェジェボに、どうアプローチすればいいだろう。手探《さぐ》り状態で本やインターネットサイトの情報から考えてみて、次の三つのことを柱にしてみた。

① 子どもが本と出会える機会を提供する
（ビブリオバトル・授業内読書時間の導入）

② 子どもの読書環境《かんきょう》を向上させる
（学級文庫の設置・おすすめブックリストの作成）

③ 読書に関する啓発《けいはつ》活動をする
（絵本作りや読み聞かせのワークショップ）

子どもたちの英語力を底上げする必要はあるけれど、本にふれる機会を増やし、絵本などやさしい本を読み通す経験を積んでいけば、自《おの》ずと英語力もアップするような気がする。ついでにぼくの英語力もついていくかも……。

ということで、前述の三つを目標に、活動方針をチーフのジェームスに伝えてみる。

「ねぇ、ジェームス、ぼくの活動のことなんだけど」

「うん」

「今、この三つの方針を考えていて……」

「うん、うん」

「まずはこのビブリオバトルっていうのをやってみようと思うんだけど」

「Hem i oraet!」

と、おなじみのセリフ。ビブリオバトルって何か、ジェームスはわかっているのだろうか。それはともかく、ＯＫが出たので手始めにビブリオバトルをやることにしよう。ビブリオバトルというのは参加者全員の投票で勝敗を決める、本の紹介《しょうかい》ゲームだ。基本は次の四つの簡単なルールにそってやればいい。

1　発表参加者が読んでおもしろいと思った本を持って集まる。
2　順番に一人五分間で本を紹介《しょうかい》する。
3　それぞれの発表の後に参加者全員でその発表に関するディスカッションを二～三分行う。
4　全《すべ》ての発表が終了《しゅうりょう》した後に「どの本が一番読みたくなったか？」を基準とした投票を参加者全員一票で行い、最多票を集めたものを『チャンプ本』とする。

なぜ最初にビブリオバトルをするのかというと、
・ゲームを通しておもしろい本を知ることができる
・発表側にまわると、自然と本を深く読みこむ訓練になる
という読書推進的な理由だけではなく、ぼくは日本で二年ほど、このゲームを主《しゅ》催《さい》していた経験があるからだ。じつは、大学のときにビブリオバトルに出会ったことで、ぼくの人生は大きく変わった。それについてはあとで説明するが、下手《へた》につけ焼刃《やきば》的なことをするよりも、得意なことから始めれば、きっとうまくいくような気がする。

8　ソロモン史上初ビブリオバトル開催《かいさい》

学校でのビブリオバトルをする前に、事務所のスタッフたちと試《ため》してみることにした。発表者（バトラー）に誘《さそ》ったのは、図書館担当アネーラと、週に二回事務所の掃除《そうじ》のために来てくれる二〇歳《さい》くらいの本好きな女の子リネスー。「五分間でおすすめの本を紹介《しょうかい》するんだけど、どう？」と聞いたら、二人とも快《こころよ》く引き受けてくれた！　時間があれば、ほかのスタッフも観戦してもらおう。

　ということで、初めてのビブリオバトル開催《かいさい》場所は、イザベル州教育局のオフィス。発表時間を測るためのタイマーは日本語版しかなかったので、パワーポイントで作っておいた。ルール説明の用紙も作って、会場となる会議室で用意していると、アネーラがやってきた。

「見たいって言ってる人がいるんだけど、いい？」

「もちろん、いいよ！」

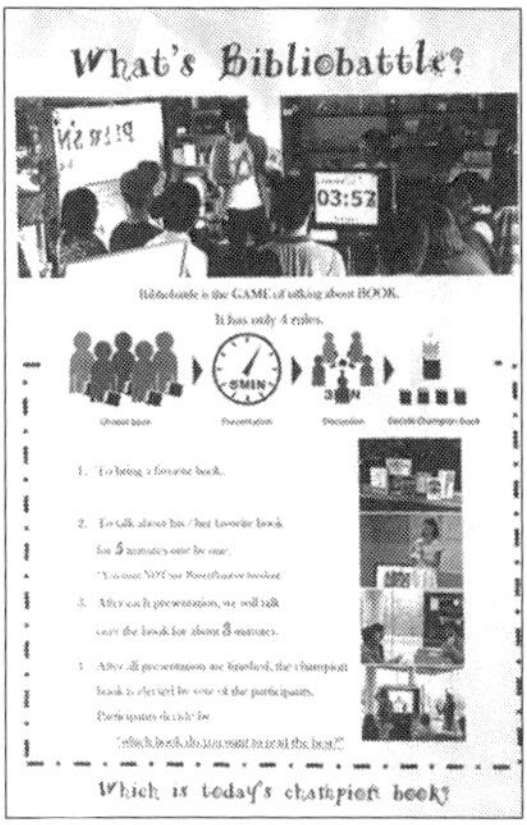

ビブリオバトルのルール説明書

オフィスにはふだんから学校の先生を中心にいろんな人が出入りしているのだが、アネーラは近所に住む知り合いの人に声をかけてくれたようだ。

「それから、この人を誘《さそ》ったら五分間しゃべってくれるって」

「大歓迎《だいかんげい》だよ！」

初めてなのにノリのいいアネーラのおかげで、幼稚園《ようち》の先生や州政府のスタッフなど、全体で一〇名ほどのちょうどいい人数になった。集まってくれたのはほぼ女性だったが、教育局の男性スタッフも後ろの方で見ている。

いよいよゲーム開始！　ぼくがルール説明をする。我ながらたどたどしい話し方だけど、配った資料とアネーラのフォローで、全員が理解してくれたと信じよう。

くじ引きの結果、一番手はアネーラ。紹介《しょうかい》する本は“God Give Us Water”というタイトルだ。「神が我々に水を与《あた》えた」という意味だから、キリスト教に関係している本

一番手で本を紹介《しょうかい》するアネーラ

ドフォディさん。話し方がなめらかで、ビブリオバトル経験者なのかと思った。内容を聞き取れないのが歯がゆい。

かな。内容について話しているようだが、例によってうまく聞き取れない。でも、中の絵を見せながら話しているので、ぼくでもなんとなくストーリーはわかる。やっぱり聖書の一節を絵本にした本らしい。制限時間の五分間が長くてちょっと苦戦してたけど、無事に発表が終わった。

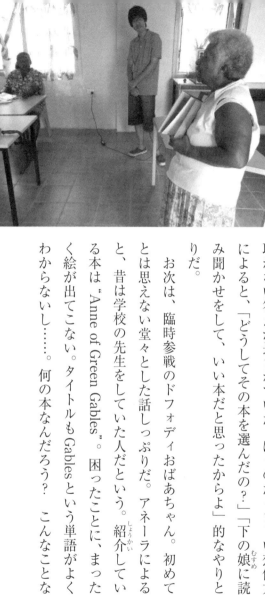

ディスカッションの時間には、ぼくが聞き取れない質問に対して、同様に聞き取れない答えが返されていた。ぼくのたくましい想像力によると、「どうしてその本を選んだの？」「下の娘《むすめ》に読み聞かせをして、いい本だと思ったからよ」的なやりとりだ。

お次は、臨時参戦のドフォディおばあちゃん。初めてとは思えない堂々とした話しっぷりだ。アネーラによると、昔は学校の先生をしていた人だという。紹介《しょうかい》している本は“Anne of Green Gables”。困ったことに、まったく絵が出てこない。タイトルもGablesという単語がよくわからないし……。何の本なんだろう？　こんなことなら、先にタイトルだけ聞いて、調べておけばよかった。それでも、ぼく以外のみんなは引きこまれるように「うん、うん」とうなずきながら聞いていて、ディスカッションもぼくが口をはさむまでもなく、質疑応答が交《か》わされた。

三人目は教育局の清掃スタッフ、リネスー。選んだ本は〝Do whacky do〟。どうやら幼い子が英語を学ぶための絵本のようだ。リネスーは、本をそのまま読みあげるという作戦に出た。うーん、ビブリオバトルで「本を読みあげるだけで紹《しょう》介《かい》する」というのは、読みたい気持ちにさせるゲームとしては少しちがう気がするけれど、初めてだし、しょうがないかな。

最後の発表者として、ぼくも参加した。無論、このゲームはぼくが一番有利。この国で唯一《ゆいいつ》ルールを熟知しているうえに、ぼくはソロモン諸島を全部足した面積よりも広い、関西地方のビブリオバトル大会のチャンプのタイトルも持っている。自分で開いたとはいえ、勝負の場に立った以上、手加減などしないのがビブリオバトラーたるものの礼儀《れいぎ》だ。それに、このゲームはソロモン諸島どころか、南半球で初めて行われるビブリオバトルかもしれない。この場所には将来、初めてチャンプ本を獲得《かくとく》した者の銅像が建つだろう。卑怯者《ひきょうもの》と言われようが、歴史的ゲームのチャンプ本は、このヒロがいただくぜ！

ぼくが選んだのは“Benjamin The Lonery Dragon”。炎《ほのお》を吐《は》くことができなくてバカにされているドラゴンが故郷を離《はな》れ、ハリネズミといっしょに冒険《ぼうけん》する物語だ。ぼくが教育局の図書館で借りて読んだ本の中でも、絵がきれいでストーリーがわかりやすい。この本の紹介《しょうかい》のために、英語の原稿を作って練習しておいたのだ。

すべてのバトラーが発表を終え、投票タイムとなった。一番読みたくなった本を、挙手で投票してもらう。ちょっと緊張《きんちょう》した空気が流れる。

ジャジャジャジャーン！

「チャンプ本はドフォディの紹介《しょうかい》した“Anne of Green Gables”でした！」

ぼくがチャンプ本を発表すると、みんな笑顔《えがお》と拍手《はくしゅ》でドフォディおばあちゃんを称《たた》えた。ドフォディおばあちゃんにコメントを求めると、にっこり笑って再び本のおもしろさについて話して

記念すべき第一回ビブリオバトルに登場した本たち

くれた。後で知ったのだけれど、“Anne of Green Gables”は『赤毛のアン』のことだった。日本語でなら読んだことあったのに！　勉強が足りてないなあ。

　こうして、ソロモン諸島で最初のビブリオバトルは無事幕を閉じた。関西チャンプなのにあっさり負けてしまって悔《くや》しい、などという思いが吹《ふ》き飛ぶくらい、ゲームが成立したことがうれしくてしょうがない。

　時間が余ってることに気づいてあせるバトラーがいたり、それを見て思わず吹《ふ》き出す観戦者がいたりして、日本でゲームをやっているときとまったく雰囲気《ふんいき》がいっしょだ。それに、ふだんの会話とちがって、バトラーが「本の紹介」をしていることが明らかなので、ぼくも内容を追いやすい。これならピジン語がいまいちなぼくでも、なんとか司会をすることができそうだ。

　ソロモン諸島に来て、すでに二カ月余り。ビブリオバトルを開催《かいさい》できたことは、まだ小さいけど確かな手応えだ。次のステップは学校でやってみることだな。

敗北を喫《きっ》した関西チャンプ。まだまだ闘《たたか》いはこれからだ。

9　週一ペースでビブリオバトル

ソロモン諸島での初めてのビブリオバトルを無事終えて、「次は学校で！」と思っていたが、タイミングがわるく、次週はテスト週間、その翌週は休み期間だと判明した。ソロモン諸島の学校の年度始まりは二月で、一〇週間授業があって一週間お休みというペースだからしかたがない。

でも、さすがに三週間後となるとかなり先だな……と思ったところで、ふと「図書館のある教育局オフィスで開催《かいさい》すればいいのではないか？」と気づいた。実際、図書館のすぐ隣《となり》にある会議室は、ビブリオバトルをするのにうってつけの環境《かんきょう》だ。そして、これが大事なことだが、ソロモン諸島の日差しの下で、職場と学校を何度も往復するのはつらい。

若干《じゃっかん》ひ弱な理由であっさり方針を変え、子どもたちを教育局で待ちかまえることにした。教育局でビブリオバトルをするなら、一週間に一回くらいのペースでもできるだろう。

ビブリオバトルの活発な日本の図書館でも、開催《かいさい》は月に一度ほどなので、毎週というのは多いくらいだ。それでもできそうだと思った理由は二つある。

①子どもたちが図書館に来る日は決まっている

先に「図書館に来る子どもは週に一〇人ほど」と書いたが、子どもたちはだいたい決まって「水曜日の午後」に来ていて、ほかの曜日はほぼ来ない。これは、ジェジェボが水曜日を〝Library Day〟として、図書館に行くことをすすめているからだ。つまり、水曜の午後にビブリオバトルをすれば、子どもたちが見にきてくれる可能性は高い。

②発表者は一人集めればいい

ビブリオバトルの発表者が二名だと、まさに対決という雰囲気《ふんいき》になってしまうけれど、三名以上いれば楽しいゲームになる。とりあえずぼくと図書館スタッフのアネーラが出場すれば、残り一名をどうにかして集めるだけでいい。残念ながら、本好きのリネスーは水曜日には来ないのだが、ほかのスタッフを巻《ま》きこめばなんとかなるだろう。それに、最初はスタッフが出ていても、やっていくうちにだんだんとバトラーになりたい人が出てくるかもしれない。

要するに、図書館で毎週行う「読み聞かせ会」のようなノリで、ビブリオバトルをしようというわけだ。日本の図書館ではイベント色が強いイメージのビブリオバトルだが、ソロモン諸島ではこのゲーム自体を知っている人がいないので、毎週開催《かいさい》すればそれがふつうになる可能性も高い。

そして、毎週ビブリオバトルをすると、こんなメリットもあるはず。

●子どもが本と出会えるきっかけを増やせる
●ソロモン諸島での開催《かいさい》手法を磨ける
●教育局を訪《おとず》れる先生に読書推進活動のＰＲができる

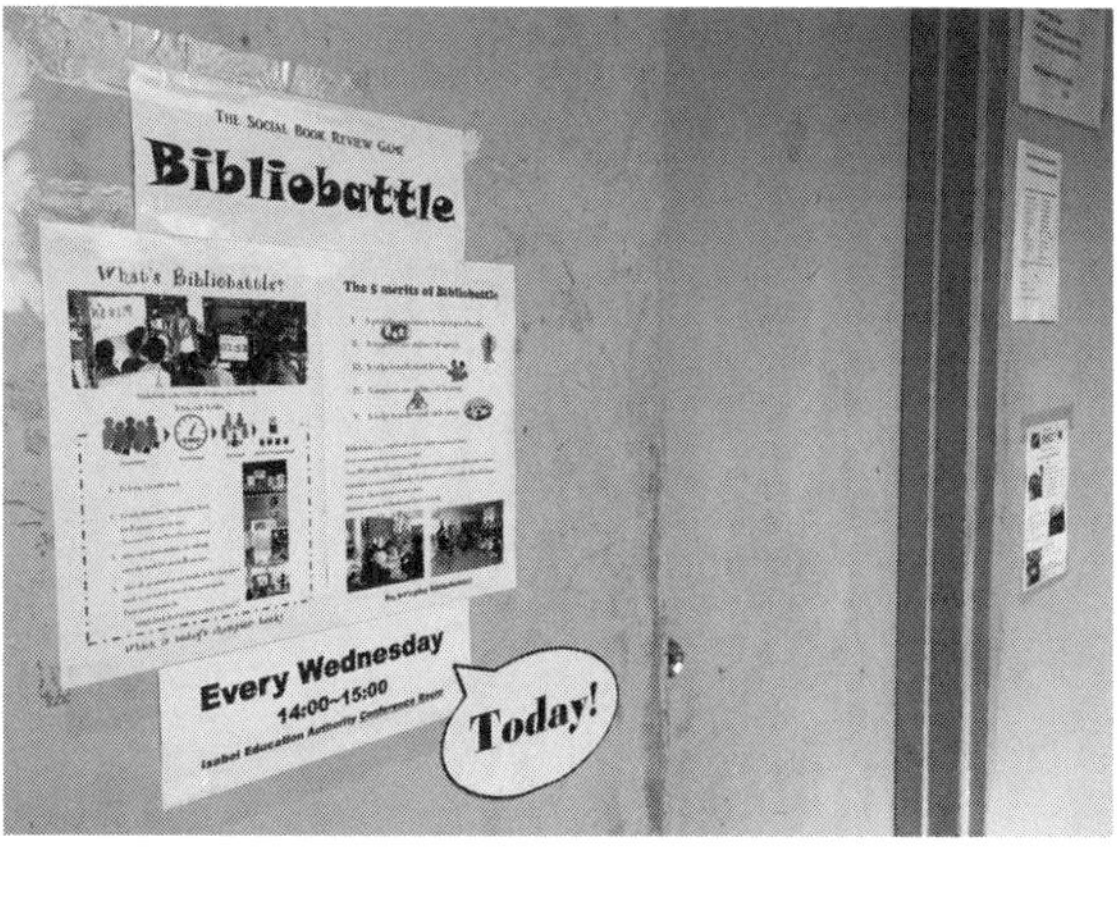

●教育局スタッフがビブリオバトルの運営に慣れることができる
●ぼくの友だちを増やせる
●「本の選択《せんたく》→発表」をくり返すことで、ぼくの語学力を伸《の》ばせる
●少なくともぼくは楽しい

これはやらない手はない……ということで開催《かいさい》は決定！

次のビブリオバトルには、前回カメラマンになってくれたビッグ・ダディに三人目のバトラーをお願いした。部署の中で最年長の彼は、お父さんという愛称《あいしょう》で呼ばれていて、教育局の中ではPrimary school（小学校）を担当している気さくな同僚《どうりょう》だ。もちろんＯＫとのこと。さすがビッグ・ダディ！

そして水曜日の朝。ごそごそと準備をしていたら、ほかのスタッフから「ビッグ・ダディが今日、来れなくなったらしい」という情報が……。まずいぞ。いきなりぼくとアネーラの二人だけだと、さすがに盛りあがりに欠ける。観戦者がどのくらい来るかわからないが、とりあえずアネーラに相談しなくちゃ。

「アネーラ、大変だ！　ビッグ・ダディ、今日来られないんだって！」

「そうみたいね」

「だれか、バトラーになってくれる人を探したいんだけど……」

「今のところ四人よ」

「そうだよね……。えっ、四人？」

「今日、発表する人は、六年生のウィルソン、五年生のグレイリン、教育局のベロニカとラヴリン」

な、なんと、朝からアネーラが声をかけてくれていたとのこと。たのまれずともバトラーを集めてくれるアネーラにびっくりだし、それで四人集まっちゃうことにも、もっとびっくり。ということは、ぼくもアネーラもバトラーとして出なくてもいい。これは、予想外のことだ。

バトラー問題が解決したので、あとは観戦者を集めねば……。でも今回はほぼ告知をしていないし、四名のバトラーだったら、最悪バトラーだけでもゲームが成立するから、よしとするかな。

……と思っていたら、午前中にアネーラが呼びかけた子どもたちが集まってきている！　アネーラ先輩《せんぱい》についていくことを心に誓《ちか》いつつ、ゲームスタート！

トップバッターは、教育局スタッフでリテラシー（読み書き能力推進）担当の

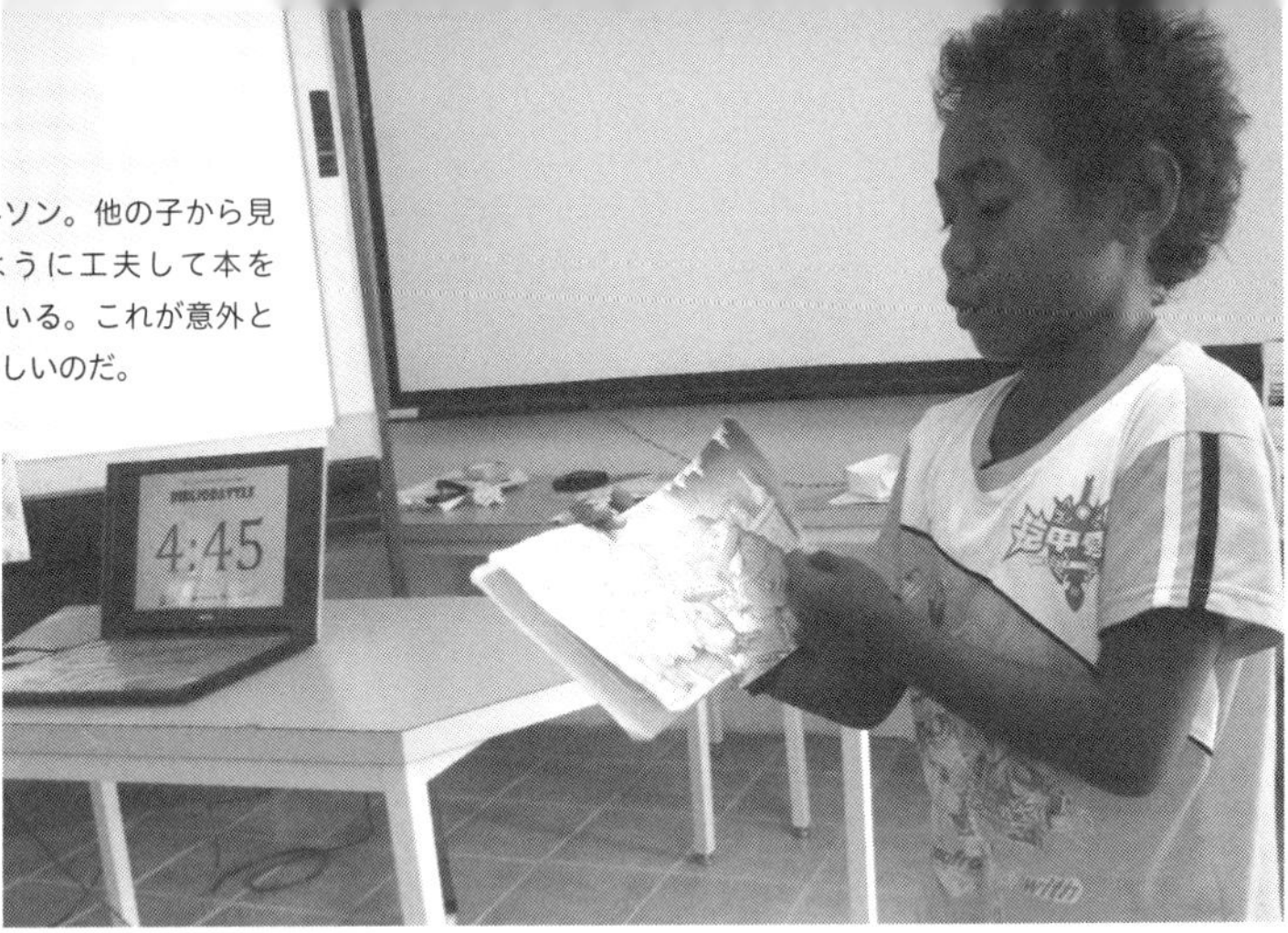

ウィルソン。他の子から見えるように工夫して本を持っている。これが意外とむずかしいのだ。

ラヴリン。次は、同じくリテラシー担当のベロニカ。教育局に勤めるまでは長年教師をしていたという二人。子どもたち相手のトークがすごく上手《じょうず》！
そして、五年生の女の子グレイリン。じつは、図書館一のヘビーユーザーである彼女。お気に入りの“Once Upon A Golden Apple”を紹介《しょうかい》してくれた。

　六年生のウィルソンの番だ。紹介《しょうかい》するのは“Merlin the Magician”。英単語を使った魔法《まほう》で物語が進む絵本だ。子どもたちが質問の手を挙げるのをとまどっているようすを見て、ベロニカがたずねる。

「どうしてその本が好きなの？」

「読めたから……」

なるほど。読めた本は好きになるよね。

チャンプ本は……、ジャジャジャーン！

ベロニカの紹介《しょうかい》した“The Best Present”。

子どもたちを前に初めてのルール説明。日本ではすごく有名なゲームなんだ！と若干《じゃっかん》オーバーなことを言う。

おめでとう！　今回からチャンプ本をとった人には、「チャンプのしおり」をプレゼントした。

アネーラのプッシュがあったとはいえ、いきなり小学生が二人も出場してくれたことに一番驚《おどろ》いた。発表はまだ選んだ絵本を指でたどりながらそのまま読むだけというレベルだけれども、人前に立って話すことには、あまり抵抗《ていこう》を感じていないようだ。

今回参加してくれた子どもたちが、ビブリオバトルを気に入ってくれるといいなぁ。毎週やっていくなかでいろいろ模索《もさく》してみよう。これからが楽しみだ。

栄誉《えいよ》あるチャンプのしおり

◆ソロモン諸島の物語②　発見と混乱

一五六八年、ヨーロッパ人として初めてソロモン諸島に到着したのは、アルバロ・デ・メンダーニャだった。大航海時代のほかのヨーロッパ人同様、金や財宝を探し求めていたメンダーニャは、見つけた島々を古代イスラエルを治めた伝説的富豪《ふごう》の王にちなんで「ソロモンの島々」と名づけた。

しかしメンダーニャはソロモン諸島への二度目の航海で命を落とし、その後約二〇〇年間、外の地域からは知られざる存在になってしまったので、ソロモン諸島と西洋文明との本格的な接触《せっしょく》は一八〇〇年代に入ってからになる。やってきたのは米国の捕鯨者《ほげいしゃ》だった。鯨《くじら》を求めた航海の途中《とちゅう》に上陸した際、彼らは食料と水、ときに乗組員の補充《ほじゅう》や女性を求めた。そうして彼らとの交易が始まっていくのだが、この接触《せっしょく》はソロモン諸島に根本的な変化をもたらした。

異なる文明同士が接触《せっしょく》した際、病気に対する抵抗力《ていこうりょく》を持っている側から持っていない側へと病原菌《びょうげんきん》がもたらされ、猛威《もうい》をふるうことが多い。三五〇〇年前のオーストロネシア人進出の際は被害《ひがい》をさほど受けなかったが、今回はそういうわけにはいかなかった。

ソロモン諸島の人々は、鶏《にわとり》や犬、豚《ぶた》とともに生活していたが、西欧《せいおう》ではこれ以外にも牛、馬、羊、山羊《やぎ》などさまざまな家畜《かちく》とともに社会を築いてきた。この持っていた家畜《かちく》の差が、病気への抵抗力《ていこうりょく》の差となった。そうして、ソロモン諸島の人口は、淋《りん》病《びょう》をはじめとする性病、また結核《けっかく》、呼吸器疾患《しっかん》、天然痘《てんねんとう》、はしか、おたふくかぜ、水ぼうそうなどにより減少してしまった。

西洋社会はまた、膨大《ぼうだい》な知識ももたらした。これは、西欧人《せいおうじん》が文字を操《あやつ》ることができたためである。文字は情報を容易《ようい》に、正確に、説得力のあるかたちで伝えることが

できる。歴史上、常に文字を持つ国が持たない国に戦争で勝ってきたわけではないが、南北アメリカ大陸、シベリア、そしてオーストラリアを征服《せいふく》したのは文字を持つヨーロッパ人だった。『銃《じゅう》・病原菌《びょうげんきん》・鉄』の著者であるジャレッド・ダイアモンド曰《いわ》く「文字は知識をもたらし、知識は力をもたらす」のだ。

しかも文字を生み出すのはじつは大変にむずかしい作業で、独自に発明された文字は人類史上でも数えるほどしかない。そして、ソロモン及《およ》び大洋州全域において、ついに文字が生まれることはなかった。（もし生まれていたら、ぼくが読書推進のために派遣《はけん》されることはなかったかもしれない）

病原菌《びょうげんきん》と知識に続き、西洋文明からの影響《えいきょう》が大きかったものがもう一つある。鉄《てつ》器《き》だ。石器時代の暮らしをしていたソロモンの人々にとって、鉄の導入は大きな衝撃《しょうげき》だった。鉄製の斧《おの》により、迅速《じんそく》に少ない労力で森の木は切り倒され、より広い畑が整地された。そのためにより多くの食べ物が入手できるようになり、人々はより多くの余《よ》暇《か》も手に入れた。

そのようななかで拡大したある風習がある。首狩《くびか》りだ。首狩《くびか》りはもともと政治的に影響力《えいきょうりょく》のあった人物（ビッグマン）が死んだ際、その霊《れい》を慰《なぐさ》めるとともに、霊魂《れいこん》が出向くとされていた「死者の島」への従者をつけるため、ほかの島の住民を対象に行われる儀礼《ぎれい》だった。おもに西ソロモンの風習だったが、いつ始まったのかはわかっていない。ただ、鉄の到来《とうらい》は明らかに首狩《くびか》りを激化させた。鉄斧《てっぷ》は人々に戦争を行い得る時間を与え、その武器となった。さらに鉄は地元で使われる貝貨《ばいか》をより多く生産することを可能にし、人々は貝貨《ばいか》を多く持っているかどうかを気にするようになった。そして鉄斧《てっぷ》を得るための西洋社会との交易で用いられた品々（乾燥《かんそう》ナマコや真珠母貝《しんじゅぼがい》、「べっ甲」と呼ばれるタイマイの甲羅《こうら》など）の資源はかぎられていたため、部族間に競争が生まれた。その結果、勝利者により多くの威信《いしん》を与えるトロフィーとして、首狩《くびか》りが増加していったのだ。

人々は首狩《くびか》りの襲撃《しゅうげき》に備え、内陸の山の尾根《おね》に沿って集落をつくるようになった。ぼくが住んでいるブアラのまちにも、かつて襲撃者《しゅうげきしゃ》の舟《ふね》を見張るための櫓《やぐら》が立っていたそうだ。西洋社会との接触《せっしょく》は、ソロモン諸島の人々の暮らしに大きな変化をもたらしたのだった。

10　いざ、初出張へ

　ソロモン諸島生活も三カ月が過ぎ、教育局事務所での水曜ビブリオバトルも、すでに五回の開催《かいさい》を終えた。ただ、まだジェジェボでの開催はしていない。というのも、村へ遊びに行ったときに人生初めてのぎっくり腰になり、しばらくまともに動けなかったのだ。

　そんなわけで、事務所の図書館でビブリオバトルのようすを壁《かべ》新聞にしたり、紹介《しょうかい》された本の本棚《だな》を作ってみたり、記録を冊子《さっし》にしてみたり……という（地味な）活動をせっせとしていると、同僚《どうりょう》のビッグ・ダディから声がかかった。

「ヒロ、この冊子《さっし》あと四部、作れるか？」

「作れるよ？　なんで？」

「学校をまわって、ヒロとビブリオバトルを紹介《しょうかい》しよう」

ビブリオバトル用の棚《たな》。チャンプ本は表紙が見えるように置く。

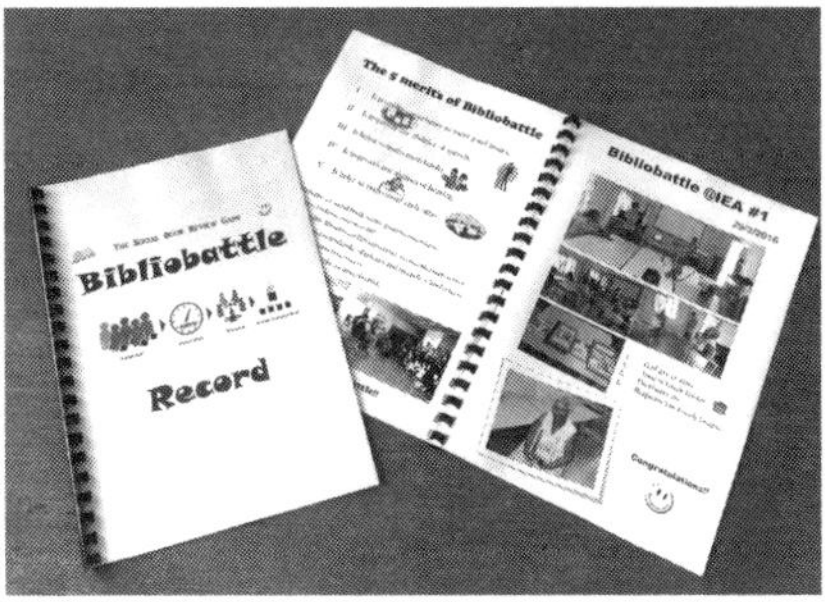

ビブリオバトルの写真や紹介《しょうかい》された本をまとめた冊子《さっし》。配るのに便利。

初出張だ！　イザベル州内のジェジェボ以外の学校を見てみたかったのだが、これまでなかなか機会がなかったので、「待ってました！」という感じ。

とはいえ、別の予定がずれこんだり、予算の準備がまにあわなかったりで、最初の予定日から三回延期された。何日間か泊《と》まる分の荷物を職場まで運んだのに、当日の朝になって延期を知らされる。途上国《とじょうこく》では予定通りにことが運ばないとは聞いていたが、気合の入れどころがむずかしい。でも、そのおかげで少し前に痛めた腰《こし》が、そろそろ大丈夫《だいじょうぶ》になった頃《ころ》に出発の日を迎《むか》えた。

今回の出張は、事務所のあるブアナからボートで島の裏側の港町 Kaevanga（カエバンガ）にまわり、そこを拠点《きょてん》に周辺の学校を視察する予定だ。ビッグ・ダディと、同じく教育局スタッフのルーベンとぼく、そしてルーベンのお兄さんであるジョセフがボートドライバーとして同行する。

カエバンガまでは、ボートでおよそ四時間。波もさることながら、怖《こわ》いのは日焼

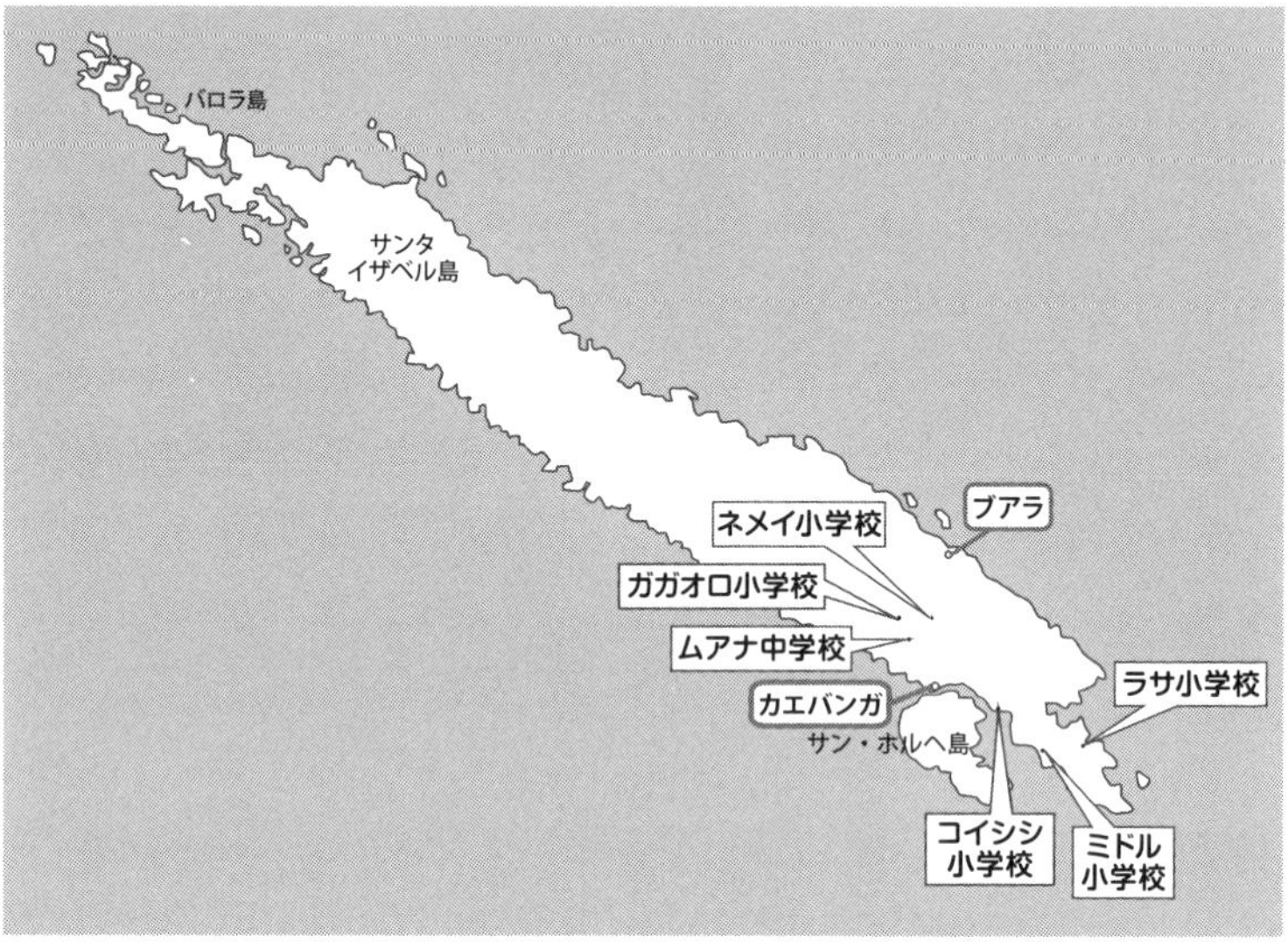

け。ボートには屋根がないのだ。その前に行った往復三時間ほどの旅で日焼け（というより火傷《やけど》に近い）がひどかったので、入念に日焼け止めを塗《ぬ》り、同僚《どうりょう》にもらった帽子《ぼうし》をしっかりかぶる。幸《さいわ》い、出発の日は波が落ち着いていた。とはいうものの、たまにボートが波の一番高いところからジャンプすると、お尻《しり》にずしんと衝撃《しょうげき》が来る。初日から自分の腰《こし》が心配だ。

ようやく陸地に到着《とうちゃく》したときは、足がふらふらになった。カエバンガは港町のようで、ブアラほどではないが、商店が並んでいる。電気も通っているようだ。

この日は移動だけで、そのまま町の宿泊《しゅくはく》施設《しせつ》に泊《と》まる。シャワーで潮水を洗い流せるのがありがたい。ベッドのマットレスがカビているように見えるが、文句を言っている場合ではない。夕食は、ビッグ・ダディがソロモン定番メニューの「ヌードル・ライス」を作ってくれた。

翌朝は二手に分かれ、ぼくとビッグ・ダディは山間部の学校へ。ブアラでは定番のトラックで行くのかと思いきや、荷台を連結したトラクターを借りての移動だ。みんなで押《お》さないとエンジンがかからない。とんでもないでこぼこ道を荷台で一時間半揺《ゆ》られる。不思議なもので、この頃《ころ》には腰《こし》の痛みを感じなくなっていた。腰《こし》もこの状況に腹をくくったのかもしれない。いや、本腰《ほんごし》を入れた、と言うべきか。

さらに、トラクターを降りた後、怖《おそ》ろしくすべりやすい山道を三回転んで、やっとNemei Primary School（ネメイ小学校）にたどり着いた。四〇人ほどの全校生徒たちが、歌を歌って迎《むか》えてくれる。村に知らない人がやってくるのはものすごくめずらしいことなのだとか。お昼ご飯をごちそうになりながら、持ってきた教育局のビブリオバトルの冊子《さっし》を渡《わた》して校長先生に説明をする。

「読書推進のために、本を使ったゲームをしているんです」

歓迎《かんげい》の合唱をしてくれる子どもたち。外国人だけでなく、同じ島の人の訪問者もめずらしいらしい。

「それはいい取り組みだね。今度ここでもやってほしいよ」

「うれしいです！　ところで図書室はどこですか？」

「ないよ」

「そうなんですか……」

お次は、トラクターに降り注ぐ雨に耐《た》えながら着いたGagaolo Primary School（ガガオロ小学校）。少し前に日本の援助《えんじょ》で校舎を建《た》て替《か》えたという。この学校には図書室があるというので見せてもらう。やたらに床《ゆか》に冊子《さっし》が散らばっている部屋《へや》があるなーと思ったら、そこが図書室だった。うーん、使ってる証拠《しょうこ》なのかな……。

まだ雨は降っていたが、次へ向かうとき、エンジンをかけた車を子どもたちが押《お》してくれた。

そして、途中《とちゅう》からは徒歩で川を渡《わた》らなければ行き着けないMuana Secondly School（ムアナ中等学校）。雨と川でずぶ濡《ぬ》れのまま、校長先生にビブリオバトルについて説明をした。

ぼくが住んでいるブアラは、首都に比べると建物の数が少なく、舗装《ほそう》された道路もないので、今までは田舎《いなか》だなと思っていたが、村をまわるとブアラが大都会に思えてくる。住居にしても、リーフハウスと呼ばれるヤシの葉を編んで作る屋根の家が多く、コンロではなく薪《まき》で調理している家もぐっと多くなる。

雨不足でレインタンクが空になり、体を洗うために向かいの島までカヌーを漕《こ》ぐ人々がいたり、遠くの村から片道二時間、徒歩で通学する子どもたちもいる。

容赦《ようしゃ》なく照りつける日光の下、波のうねりをボー

ガガオロ小学校の子どもたち。雨の中トラクターを押《お》すのを手伝ってくれた。

トで感じ、ぬかるみをトラクターで進み、二泊三日、五つの学校と一つの学校新設を検討している村を訪《おとず》れた。

図書室がある学校では見学をさせてもらったが、校長室の本棚《だな》を図書室と呼んでいたり、部屋《へや》はあっても本はまったくないという学校がほとんどだ。

ワニがいる川をカヌーで登校する学校では、

「ここでは、すでに二人の子どもが食べられたんだ……」

と、校長先生が悲しそうに話してくれた。そんなことを聞くと、読書推進とか言ってる場合ではないのでは……と思ったりもした。

島の裏側は、まさに別世界だった。どこも交通の便が極端《きょくたん》にわるく、帰る頃《ころ》には膝《ひざ》ががくがく笑っていた。そんな村の学校の状況《じょうきょう》を確認《かくにん》するために、数カ月に一度くらいの頻度《ひんど》で教育局スタッフが島をまわるわけだが、そこに住む人々とソロモンの自然の力強さには本当に圧倒《あっとう》させられた。

初めて出張できたことで、ブアラ以外の学校のようすを少し知ることができた。こういう場所で、ぼくが少しでも影響《えいきょう》を与《あた》えることができるのだろうか。

11　学校でのビブリオバトル

読書推進のため、教育局事務所でのビブリオバトルを毎週行うことは定着してきた。ただ、当初の目的だった学校の授業で行うことについては、ここのところ二の足を踏《ふ》んでいた。その理由は二つ。

●日本でもよくある状況《じょうきょう》だが、授業でビブリオバトルを行うとどうしても「強制」の要素が出てきてしまい、ゲームの楽しさが損《そこ》なわれるのではないか
●ジェジェボをモデルケースの学校にしようと考えていたが、先日の出張でまわった学校の図書保有数はジェジェボよりかなり少なく、学校ごとに大きく異なる状況《じょうきょう》があり、そもそもモデルケースにならないんじゃないか

一言でいうと、ぐだぐだと悩《なや》んでいたわけだ。

そんなぼくを見かねたのか、ビッグ・ダディの提案で、ビブリオバトルにも参加してくれたリテラシー担当の二人（ラヴリンとベロニカ）の出張についていき、

学校でビブリオバトルをすることになった。行先《いきさき》は前回も行った島の裏側、ガガオロとムアナの二校。たしかに、本が少ない学校から始めてみるというのは一つの手かもしれない。

まずは、村に住み着くフォニスという鳥が自由に飛んでくる(口絵)ガガオロ小学校の校舎へ。校長に趣旨《しゅし》を話し、午後の時間に模擬《もぎ》授業を行わせてもらえることになった。発表の準備をするには心もとないけれど、午前中の時間を使って六年生に図書室で本を選んでもらうことにした。前回の出張のときに見学したが、ここの図書室には本棚《だな》がない。三〇〇冊くらいの本が、机や床《ゆか》に平積みされている。

ビブリオバトルをする約束の昼の時間になり、「さて教室でやろうか……」と思っていたら、案内された会場には先生や児童がずらり。しかも四、五、六年生が

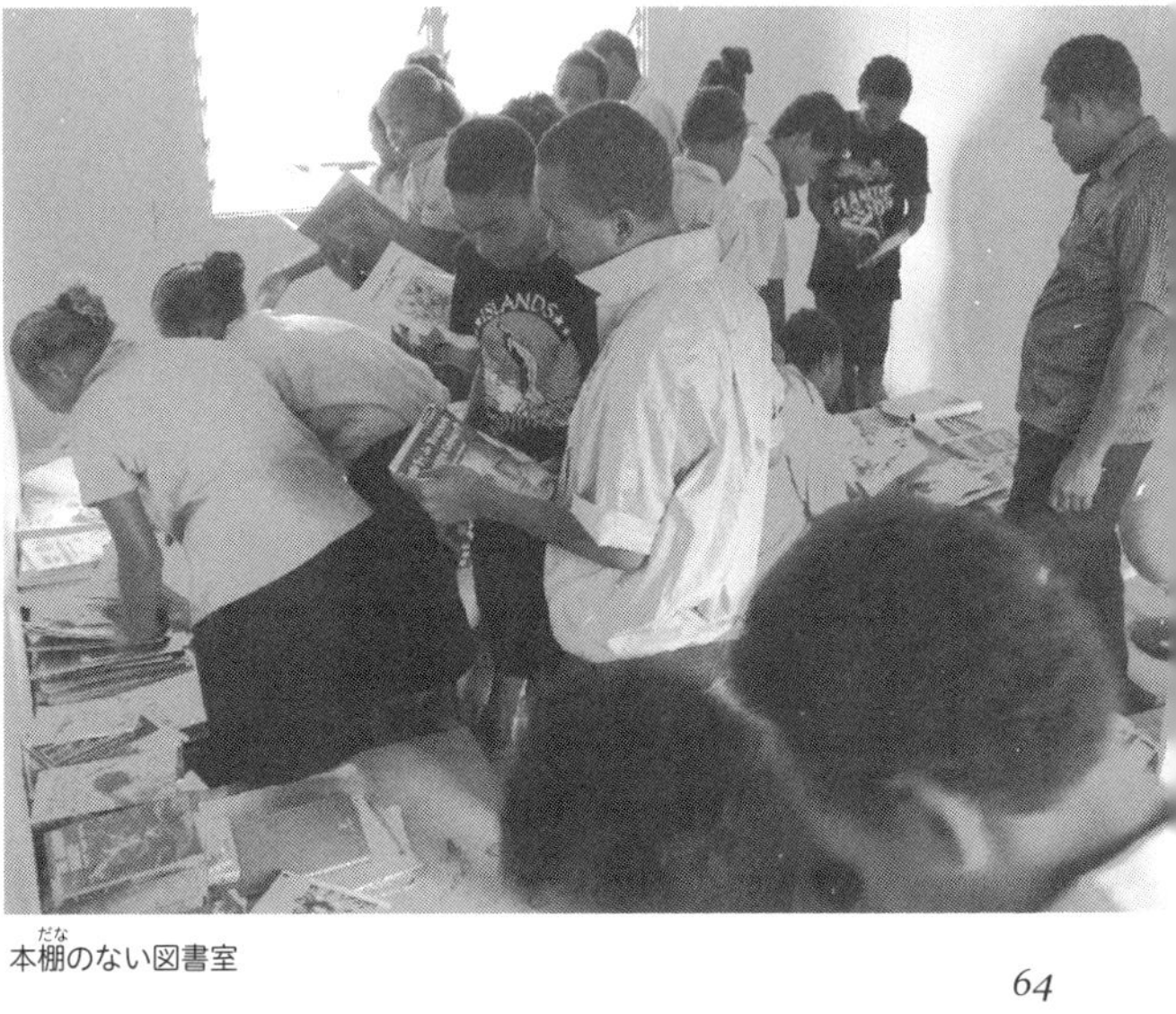

本棚《だな》のない図書室

ガガオロ小学校の集会所

勢揃《せいぞろ》いしている。うわぁ、こんな大舞台《ぶたい》でいきなり発表させたりしたら、子どもたちはトラウマを抱《かか》えるのではないだろうか。しかも、まだだれが発表するかすら決めていないのに。不安がむくむくと頭をもたげたが、「ええい……もう、なるようになれ!」と心を決めた。

ルールを説明したあと、バトラーをつのる。

「ステージで、本を紹介《しょうかい》したい人は手を挙げて!」

と言ってみると、一人だけ男の子が挙げてくれた。でも、それ以上はだれも名乗り出てくれない。それはそうだろう。よく考えたら、日本のビブリオバトルでも、経験者かよほどの肝《きも》っ玉《たま》の持ち主でないと、これほど大勢の前でバトラーをするのは躊躇《ちゅうちょ》してしまうだろう。

いきなり、ゲームが成立しなくなってしまう事態になってしまった……。壇上《だんじょう》であせっているぼくを見かねてか、先生が指名でバトラーを選んでくれた。

結局、バトラーは男の子一人、女の子二人とぼくの四人となった。

まずはぼくが一番手として、さっきの図書館で選んだ"First Day at School"という絵本を紹介《しょうかい》することにした。みんながぼくの話を真剣《しんけん》に聞いている。こんなに大勢だと日本でも雰囲気《ふんいき》づくりがむずかしいのに、見まわすと会場中の聞き手はちゃんとビブリオバトルに観戦者として参加してる。なんか、いい雰囲気《ふんいき》だ。

お次はストレドソンという男の子が、"When I Grow Up（大きくなったら）"という本を紹介《しょうかい》した。ディスカッションタイムに先生から、

「あなたは将来何になりたいの？　漁師？　農夫？」

と質問されて、

「大工だよ。大きくなったら家がいるでしょ？　だからぼくは大工になるんだ」

と答えている。

本を通した発表者自身への質問と、それに対する答えだ。ビブリオバトルの本質ともいえるコミュニケーションが、ちゃんと成り立ってる！

結局、ストレドソンがチャンプ本を獲得《かくとく》して、初の学校でのビブリオバトルは幕を閉じた。

次の日、向かったのはムアナ小学校。ここは、教育局でも島で一番本がたくさんあるといわれている学校だ。ざっと数えてみると、三〇〇冊くらいだろうか。もちろん十分とは言えないけど、ビブリオバトルはできそうだ。校長先生と相談して、低学年と高学年に分け、一度ずつビブリオバトルを行うことになった。

ガガオロと同じように図書室で本を借りてもらい、五〇名ほどの子どもたちが教室に集まり、その中から四人が先生に勧《すす》められてバトラーになった。ルール説明を終え、ゲームが始まる。そこでぼくは圧倒《あっとう》されてしまった。発表のうまさにではもちろんない。バトラーの手元の絵本を食い入るように見つめる、子どもたちの眼差《まなざ》しにだ。

紹介《しょうかい》の仕方が上手《じょうず》なわけではないし、読み聞かせをしているわけでもない。バトラーはたどたどしくあらすじを語っているだけだ。それでも、子どもたちは一心不乱にその本を理解しようとしていた。これが、物語が持つ力なのか。読書推進のために来たはずのぼくが、子どもたちに本のすごさを教わってしまった。

でも、これだけ子どもたちを夢中にさせるということは、図書室の本がふだんはあまり使われていないことの裏返しでもある。ビブリオバトルをきっかけに、もっと図書室を使いたいと思ってもらえたらいいんだけど……。

「スイムに行こうよ」

授業の後、子どもたちが誘《さそ》いにきた。スイムとは、ソロモン諸島ではシャワーを浴びることを意味する。どこかに蛇口《じゃぐち》があるのかな?

石鹸《せっけん》を持ってついていくと、案内されたのは村の脇《わき》を流れている川だった。まだ水道のないムアナでは、ここが村の公衆浴場なのだ。おっかなびっくり身体を洗い、くたくたになるまで子どもたちと遊ぶ。

ここで寝《ね》るといい、とその日準備してくれたの

は、学校のあの図書室だった。日本でも「泊《と》まれる図書館がある」という話を聞いたことがあるが、ぼくはソロモン諸島の図書室に泊《と》まったことのある貴重な人間になれた。その上、ぼくが寂《さび》しがるといけないということで、二人の小学生男子といっしょに眠《ねむ》ることになった。彼らは夜更《よふ》けまで飽《あ》きることなくぼくに読み聞かせを要求し、ぼくは睡眠《すいみん》時間と引《ひ》き換《か》えにここでも本の持つ力強さを思い知らされたのだった。

この地で行ったビブリオバトルは、どの回も聞き手を含《ふく》め、子どもたちが積極的に参加してくれることに驚《おどろ》いた。ふだん見知らぬ人が来ること自体少ないわけだから、コミュニティすべてが顔見知りという状況《じょうきょう》がすでにできあがってるのだろう。ビブリオバトルはコミュニケーションを活性化させるツールでもあるので、それがソロモンの地方のコミュニティの雰囲気《ふんいき》と合っているのかもしれない。

また、本が少ないという状況《じょうきょう》で、子どもたちはすでにほとんどの本を読んでしまっているのではないだろうかと思っていたが、予想以上に図書室は利用されていなかった。「本を使って何かをすること」自体、新鮮《しんせん》だったようだ。まさに、案ずるより産むが易《やす》し。まさか地方の学校でこんなにビブリオバトルを楽しんでもらえるなんて思わなかった。

もちろん課題もある。出張で授業する場合、あらかじめ子どもたちに本を準備させるのがむずかしいこと。低学年の子からは、ディスカッションのときに質問がなかなか出てこないこと。そして、ぼくがどうにか話せるようになってきた頼《たの》みの綱《つな》のピジン語が、地方の学校では通用しないことだった。

ピジン語は異なる現地語同士の人が話すときに使う言語なので、みんなが同じ現地語を話す村ではあまり使われていないらしい。ビブリオバトルのルールを説明する際に、同僚《どうりょう》にピジン語を現地語に通訳してもらわなければならない。ただし、これらの課題も、もう少し数を重ねていけば解決策が見つかるかもしれない。

「ジェジェボをモデルスクールにした手法を、イザベル州全域に広げていく」という当初考えていた方針を変更《へんこう》して、まずは、「ビブリオバトルを広める名目で学校を訪れ、その都度課題を見つけて対応する」ことに切《き》り替《か》えていこう。

出張したことで新しい発見があり、ソロモン諸島での実践《じっせん》がどんどん楽しくなってきた！

12 ソロモン諸島でのビブリオバトルから気づいたこと

小・中学生の読書習慣向上のため、ソロモン諸島イザベル州でビブリオバトルを始めてから約四カ月、計十七回ゲームを行うことができた。集計したところ、バトラーはのべ七八人、観戦・投票のみの人も含《ふく》めれば、のべ四四二人がビブリオバトルに参加したことになる。職場の図書館だけでなく地方の学校への普及《ふきゅう》も始めて、くり返しゲームを行うなかで、徐々《じょじょ》にソロモン諸島の小・中学生の読書事情もつかめてきた。

まとめてみると、以下のようになる。

1　読書へのハードルが日本とは異なる

公式ルール（38ページ）に違反《いはん》しているわけではないのだが、ソロモン諸島のビブリオバトルの発表では、ほとんどの子どもは絵本をそのまま読みあげるだけとなっている。ビブリオバトルの五分間の発表は、選書に並んでバトラーの個性が垣間《かいま》見える場だ。そこでただ絵本を読みあげるだけとなると、ゲームの楽しみは半減する。そういう意味で、ぼくにとってはちょっと不満があった。

しかし子どもたちの発表をよく聞いていると、絵本に書かれた英語の文章をピジン語に直して話している子がいた。子どもたちは日常、ピジン語と現地語がミックスされたような言葉を話している。これは「ピジン語の方が聴衆《ちょうしゅう》に伝わりやすい」という、聞き手を意識したその子なりの工夫《くふう》だ。これには感動した。

ソロモン諸島の子どもたちにとって、英語は外国語のようなものだ。見かけ上はビブリオバトルが成立していたので忘れていたが、日本とはちがって話し言葉と書き言葉が異なる彼らは、ふだんは文章ではなく、挿絵《さしえ》で読書を楽しんでいたのだ。書籍《しょせき》が少ないということ以上に、言葉の問題が読書のハードルを上げている。

それを思い出してから、まずは「他人に本をすすめる」という体験自体を重視して、子どもたちの発表の内容にはあまりこだわらなくなった。ただ、ようすを見てステップアップさせていくかどうかは、これからの課題だ。

2 ディスカッションタイムが盛りあがる

ぼくの期待より盛りあがりに欠ける本の紹介《しょうかい》と打って変わり、質問の時間はいつも大変盛りあがる。「作者はだれ？」「どこで出版されたの？」というような本自体に関する質問から、「いちばんお気に入りのページはどれ？」「なぜその本を選んだの？」「（絵本に出てきた）ライオンとヒツジ、どっちが好き？」のような発表者の気持ちを問う質問まで、子どもたちは我先にと手を挙げる。これは、ぼくがある程度意識して仕向けていた結果かもしれない。子どもが質問するたびにほめていたら、驚《おどろ》くほど挙手してくれるようになったからだ。

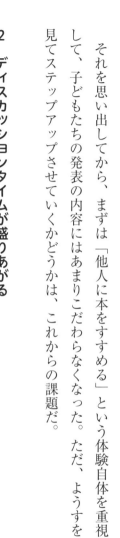

ビブリオバトルは、たくさんの本を知ることができたり、スピーチに慣れたりすることもあるが、その本質はコミュニケーションを豊かにすることだとぼくは考えている。本を切り口に、新しい交流が生まれるから楽しいのだ。ディスカッションの時間が盛りあがっているということは、少なくともビブリオバトルのいちばん大切な部分を味わえているのではないだろうか。

3 Bibliobattle という名称《めいしょう》について

ビブリオ（biblio-）とはラテン語由来の言葉で「本の――」を意味する。聖書（bible）と同じ語源だ。ソロモン諸島は国民の九五％がクリスチャンといわれる敬虔《けいけん》なキリスト教の国なので、ぼくは最初 Bibliobattle という言葉を使うときけっこうひやひやしていた。「ビブリオってバイブル（聖書）ちゃうんか？　聖書で闘《とう》争《そう》ってどういうことや？　お？」と、とやかく言われないか心配していたわけ。

しかし、実際にはそんないちゃもんはまったくなくて、むしろ「覚えやすい」とか「いい名前だ」と言ってもらえた。日本にいたときは正直「もう少しおしゃれな名前にできなかったのかなあ」などと思っていたが（！）、ここでのウケがいいので、「なんてクールなネーミングなんだ！」と思うようになった。

4　ビブリオバトルは読書推進の夢を見るか？

ぼくはさらりと「読書推進のためにビブリオバトルをしている」と書いてきたが、じつはビブリオバトルが読書推進につながるかどうかは日本でもよくわかっていないことだ。そもそもビブリオバトルは「大学のゼミで読む本を楽しく決めたい」という発想から生まれ、それがサークルや図書館、書店などに広がっていったものだ。小・中学校が授業に取り入れだしたのはまだここ数年の動きで、教育分野での効果が注目されている。

なぜそういう確実ではないものを行っているかというと、単にそれがぼくの得意なものだということだけでなく、ソロモン諸島にかぎっていえば、読書推進に有効だと思えるからだ。というのも、ここでは図書室に本がある学校でも、ほとんど読まれていない。また、図書室に児童・生徒の立ち入りを禁止している学校も多い。冊数《さっすう》も十分あるとはいえないが、それすら先生たちは持て余し気味だ。先にとったアンケートでも、「本を読んだことはないし、本の読み方も知らない」と答えていた先生もいて、とても驚《おど》いた。

そういう現状のなか、ビブリオバトルはバトラーの数によって時間をコントロールできるゲームなので、授業に導入しやすく、「○曜日にビブリオバトルをするから今日は本を借ります」というかたちで、図書室を活用することができる。日本とはちがい、図書室はたいがい村で唯一《ゆいいつ》本がある場所だ。ビブリオバトルのために図書室を使った回数は、そのまま子どもたちが本にふれる回数になる。そうなることで「もっと読みたい！」と願う子どもが増えると、学校側も担当スタッフをつけたり、図書委員会をつくったりと、図書室を利用しやすいようなうごきがでるかもしれない。

まだまだ普及途上《ふきゅうとじょう》だが、ビブリオバトルをすることで、読書推進の可能性がみえてきたような気がする。ソロモン諸島と同じように、話し言葉と書き言葉のちがいなどから、読書へのハードルが高い国は世界に多くある。この活動でビブリオバトルが本当に子どもの読書推進に効果があることがわかったら、多くの国で取り入れられるようになるかもしれない。そして、途上国《とじょうこく》の子どもたちがもっと本を読むようになれば、世界はもう少しよい方向にまわり始めないだろうか。

◆ソロモン諸島の物語③　そして神は降りたった

一八九三年、イギリス政府はソロモン諸島を保護領として宣言した。植民地政府が最初に行ったことのひとつが、首狩《くびか》りを行う人々への（白人の生命を守るための）対策だった。キリスト教の布教である。最初にソロモン諸島を訪れた宣教師は、ぼくが暮らすサンタイザベル島の離島《りとう》サン・ジョージ島で住民に殺されてしまったが、彼らはがまん強かった。そういった宣教師がさまざまな文明の利器を持ちこみ、医療《いりょう》と教育に力を入れたことで、島民たちはしだいに魅《み》せられ、次々と改宗するようになった。

それまでの宗教的観念や儀礼《ぎれい》は「邪教《じゃきょう》」として禁止となり、聖なる場所（タンブープレイス）は破壊《はかい》され、信仰《しんこう》されていたさまざまな精霊《せいれい》は「※デボル（devils）」とみなされるようになった。宣教師たちはソロモン諸島のほとんどすべての住民をキリスト教徒にすることに成功し、島々を覆《おお》っていた暴力の循環《じゅんかん》は減少していった。西洋文明との接触《せっしょく》がもたらした混乱《こんらん》を収めるべく西洋の神が舞い降《お》りるという、極端《きょくたん》にいえば自作自演のようなかたちだったが、キリスト教が住民に与《あた》えた変化は大きかった。今やどこの村に行っても教会を中心とした敬虔《けいけん》な生活があり、キリスト教なしにソロモン諸島を語ることはできない。

ただ、今でもマライタ島の一部の人々は伝統宗教を守り続けているそうだし、

※デボル＝デビルのこと

「伝統的な宗教観念は、（かたちを変えて）現行のキリスト教信仰《しんこう》のなかに脈々と生き続けている」と『ソロモン諸島の生活誌』で述べられている。ただ、ソロモン諸島の人からかつての信仰《しんこう》について聞くと、たいていキリスト教に比べ、劣《おと》ったものとして語られることが、ぼくを少し切ない気持ちにさせる。

「いいか？　ヒロ。こんなふうに日照りが続いたとき、かつては山の中で生贄《いけにえ》を捧《ささ》げたんだ。今はそんなことはしない。教会で祈《いの》るんだ。安全だろ？」

いったん平和が確立されると、政府の医療援助《いりょうえんじょ》やサツマイモの導入などにより、ソロモン諸島の人口は再び増加し始めた。防衛の必要がなくなった人々は徐々に山の尾根《おね》から沿岸部に住居を移し、漁業や交易《こうえき》を行うようになった。しかし、植民地政府はソロモンの人々にとってよい影響《えいきょう》を与《あた》えただけではなかった。政府が持ちこんだ商業の影響によって、土地に所有者が生まれ、人々はその境界を気にせずにはいられなくなった。また、仕事が金銭的価値を持ったとき、従来の互酬制《ごしゅうせい》と交換《こうかん》のシステムが弱まるようになった。以前なら互《たが》いに助け合った部分を、自分のためだけに働くことも増えていった。

さらに、植民地政府はプランテーション（大規模農園）を積極的に支援《しえん》した。

白人が経営するこれらのプランテーションはいわば「畑の中の工場」であり、それまでの暮らしになじむものではなく、ソロモン諸島の人々は当然そこで働きたがらなかった。経営者である白人たちは植民地政府に泣きついた。政府はそれに応《こた》え、一九二一年にすべての成人男子が現金を稼がざるを得なくなる人頭税を押《お》しつけた。その結果、ソロモン諸島の少なくとも三分の二の人々が、プランテーションやそれに関連した活動にたよらなければ生活できなくなった。

プランテーションでの労働者の扱《あつか》いは劣悪《れつあく》だった。身体的暴力は日常的に与《あた》えられ、また集団生活における伝染病《でんせんびょう》も蔓延《まんえん》した。しかし、それ以上に大きかったのは自己尊厳の損失だった。プランテーションは、ソロモン諸島の人々を白人より劣《おと》ったもの、白人に絶対服従するものと定義した。

しかし、政府に対する人々の抵抗《ていこう》も徐々《じょじょ》に生まれ始めた。一九四〇年までには、ソロモン諸島の各地でさまざまな社会運動や異議申し立てが行われていた。日本も深く関わる戦争がソロモン諸島を襲《おそ》ったのは、そんな頃《ころ》だった。

13　ぼくとビブリオバトルの出会い

ここまで、ソロモン諸島でのことを書いてきたが、ぼくがなぜこの地で読書推進しているのか、そもそもなぜ青年海外協力隊員になったのか、それはすべてぼくとビブリオバトルとの出会いに始まる。ここで、ぼくの大学時代まで筆をさかのぼることをお許しいただきたい。

講師がちらりと時計をながめ、二限目の終わりを告げた。多くの学生が食堂に向けて歩くなか、ぼくは一人図書館に入った。人混《ひとご》みの中での昼食が嫌《きら》いだったし、知り合いに遭遇《そうぐう》するのもまっぴらだった。大学の図書館は、快適な空間だった。定期テストの直前を除き、個人机はだいたい空いていたし、そこで何時間過ごそうとだれにも見咎《みとが》められることはなかった。

ショルダーバッグから文庫本を取り出し、ページをめくる。読みながら所々ボールペンで線を書きこんでいく。手慣れた動作だ。それが、大学を留年し始めて以来三年間、同じことをくり返しているぼくの姿だった。同じ留年生でも、その理由が留学だったり、自分探しの旅をした人はどこか誇《ほこ》らしげな顔つきをしている。ぼくの場合は、部活の忙《いそが》しさを言い訳に授業に出ず、数々の単位を落とす、というシンプルで格好《かっこう》わるいパターンだった。留年三年目にもなると、学校ではだれとも会話せず、目線を落として歩くのが習慣になっていた。

留年生活が始まって、ぼくが手に取ったのは本だった。それまでの大学生活をほぼ部活だけで過ごしてきたぼくにとって、本の中には未知の世界が広がっていた。ジャンルを問わず、興味がわいたものを片《かた》っ端《ぱし》から読み漁《あさ》るのは爽快《そうかい》だった。しかし、就職活動や社会に出るという現実は、恐怖《きょうふ》でしかない。ぼくはずるずると卒業を先延ばしにして、ますます本の中に逃《に》げこんでいった。

そんなどうしようもない状態にはまりこんでいたある日、図書館で変わった張り紙が目に入った。「ビブリオバトル」……、そのチラシを読むかぎり、五分間好きな本をプレゼンして、

聴衆《ちょうしゅう》が一番読みたくなった本が勝つ、というゲームらしい。

胸がざわつく。これはまさにぼくのためにあるようなゲームではないのか。なんと言ったって、留年してからすでに五〇〇冊以上を読み重ねているのだ。

とはいえ、いきなり発表者として名乗りを上げられるような度胸はまったくなかった。とりあえず、ビブリオバトルについて書いてある※新書を読み、当日は聴衆《ちょうしゅう》の一人として会場の端《はし》の席に座《すわ》った。図書館にとっても初の試みであったらしく、運営にはある種の固さが見て取れた。しかしゲームが始まると、場は非常にスムーズに進行していった。ゼミの教授にすすめられて仕方なく参加したという発表者が多かったが、本の話を文字からではなく、直接自分の耳で聞くという体験は、ぼくにとってとても新鮮《しんせん》だった。

とくに好ましいと感じたのは、ゲームを制したのが一番場をわかせた発表の本ではなく、一見とっつきにくいと思われる本だったことだ。そう、このゲームで重要なのはプレゼン技術というよりも選書そのものであり、それはぼくがもっとも得意と言えることだった。幸いなことに、大学図書館でのビブリオバトルはその日かぎりではなかった。一カ月後、ぼくはふるえる指で、パソコンから次回発

※『ビブリオバトル』
（谷口忠大／著　文春新書）

表者の応募《おうぼ》フォームを送信した。

そしてやってきた当日、ぼくの発表の時間はすぐにまわってきた。ここ何カ月か、人とまともにしゃべっていない気もするが、勝算はゼロではなかった。

「皆《みな》さん、こんにちは。今日のテーマは〝夏〟ですよね。皆《みな》さんの中に、夏祭りで焼き鳥を食べたことがある人はいますか？

あっ、何人かいらっしゃいますね。皆《みな》さんが食べたその焼き鳥、実は正体があるんです。皆《みな》さんが本当に食べたもの、それは〝焼き恐竜《きょうりゅう》〟だったんです。

どういう意味なのか？　それはこの本を読めばわかります。今日、紹介《しょうかい》したいのは『鳥類学者　無謀《むぼう》にも恐竜《きょうりゅう》を語る』です……」

普段《ふだん》なら一週間くらいかけて口から出てくるような量の言葉を、開始一分で話している。こんなことができるのは、二カ月かけて本を厳選し、話すことを徹底的《てっていてき》に練っていたからだ。そのおかげで、とても自然に話している気がする。質疑応答でまともな受け答えができたかは怪《あや》しかったもの

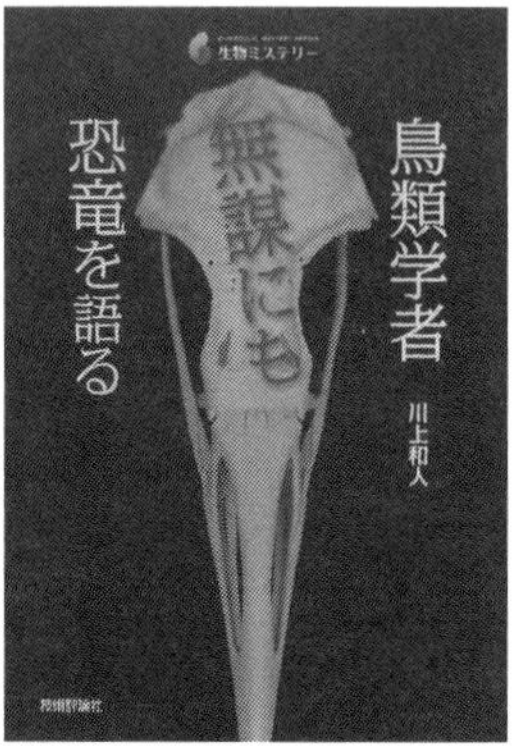

『鳥類学者　無謀《むぼう》にも恐竜《きょうりゅう》を語る』
（川上和人／著　技術評論社）

の、ぼくの出番はなんとか終わった。

全員の発表が終わると、「どの本が一番読みたくなったか？」を基準にした投票が行われる。心臓が高鳴る。こんなに高鳴ったのは、初めて留年が決まった時以《い》来《らい》だ。

司会の図書館職員さんが姿勢を正した。

「それでは発表します。本日のチャンプ本は、益井博史《ますいひろふみ》さんの紹介《しょうかい》した、『鳥類学者　無謀《むぼう》にも恐竜《きょうりゅう》を語る』でした！」

他人に拍手《はくしゅ》で称《たた》えられる経験など、何年も味わったことのないものだった。それ以前に、自分の話を人が真剣《しんけん》に聞いてくれるということ自体に、思っていた以上の衝撃《しょうげき》があった。

この日の体験をもとに、いろいろと模索《もさく》しつつ、大学生の全国大会に出たり、自分でビブリオバトルイベントを主宰《しゅさい》しながら、発表する楽しさだけでなく、本と人、人と人をつなげることができるこのゲームにどんどんはまっていった。

就職が決まらず、大学生活も終わりかけていた頃《ころ》、ある男性との出会いがあった。その人は、京都の伏見区《ふしみく》で雑貨屋を営みつつ、まちづくり活動をビジネスと

して行っていくという、一風変わった企業《きぎょう》の代表を務めていた。彼に誘《さそ》われ、卒業後はそこで働くことになった。そこは、企業《きぎょう》でありながら、まちのさまざまな立場の人が行き交《か》う交差点のような場所だった。地元の住民としてまちづくりがしたい人、行政職員としてまちに携《たずさ》わっている人、時代の潮流に乗りたい地元商店、地域に根差したいショッピングモール、伝統ある祭りを支える職人気質《きしつ》の人、ジャーナリスト、学生、ただ楽器を弾《ひ》きに来る人……等々。ぼくがこれまで目にしたことのない多くの人たちが毎日かわるがわる訪《おとず》れて、その人たちと話をすることができた。

　従業員が十人前後の会社だったこともあり、ぼくは新社会人として仕事を学びつつ、企画《きかく》を任される機会も徐々《じょじょ》に増えていった。まち歩きのツアーやロケットストーブづくりなど、一から企画《きかく》を練りイベントをまわすのは、緊張《きんちょう》で胃が痛くなると同時に、ぼくに興奮をもたらす経験となった。また、そんな会社だけにビブリオバトルとも相性《あいしょう》がよく、時には会場として職場を使わせてもらったり、会社の企画《きかく》の中に組みこんだりして、就職してからも毎月、ビブリオバトルの定期開催《かいさい》を続けることができた。

その企画《きかく》に参加してくれる人の中に、時たま不思議な雰囲気《ふんいき》をただよわせる人たちがいることに気づいた。その人たちは、こちらが予想した以上に企画《きかく》を楽しんでくれる、いわば「勝手に楽しむ力」を備えていた。彼らに共通していたのは、「青年海外協力隊」の経験者だということだった。


ここまで読んでいただければ、ぼくがなぜ青年海外協力隊員になったのか、そしてソロモン諸島でビブリオバトルを行うことになったのか、おわかりいただけたと思う。

本が好きで、ビブリオバトルが好きなぼくは、本によって人がつながり、楽しめる場を作ることに喜びを感じる。ソロモン諸島でも、ビブリオバトルを通して読書推進をするとともに、本を介《かい》して人とのつながりが広がっていくのを今、実感している。

14　変わっていく子どもたち

イザベル州教育局で毎週ビブリオバトルを続けているうち、子どもたちが定期的に図書館を訪《おとず》れるようになっていた。ビブリオバトルが始まるまでは図書館の床《ゆか》に座《すわ》りこんで絵本や図鑑《ずかん》をながめ、ビブリオバトルでチャンプ本が決まったら借りた本を持って帰っていく。ぼくの方も、首都で購入《こうにゅう》したギターをビブリオバトルの前に弾《ひ》いたり、折り紙を教えたりして、少しずつソロモンの子どもたちとの交流の幅《はば》を増やしていた。

ただ、ビブリオバトルの中で、ぼくには一つ納得《なっとく》していない点があった。それは12章でも書いたが、子どもたちが発表の時間に本の内容をそのまま読みあげてしまうことだ。ビブリオバトルのルール上、絶対にだめというわけではないし、実際日本でも絵本を読み聞かせふうに紹介《しょうかい》している人だっている。でも、全員が本をそのまま読むだけだったら、ビブリオバトルではなく朗読バトルと呼ぶべきじゃないだろうか。第一、ぼくは発表を通して子どもたちの個性を知りたいのだ。ただ読みあげられてしまったら、英語の発音ができるってこと以外、その子のことが何もわからないじゃないか！

そういうわけで、子どもたちにこんなふうに言ってみる。

「君たちは上手《じょうず》に本を読むことができるね。ただ、真のビブリオバトルはただ読むだけじゃチャンプ本にはなれないんだ。本の内容や自分の気持ちを自分の言葉で説明するんだ。ビブリオバトルに慣れてきた人は、そういうふうに話してみてよ」

でも、これがまったくうまくいかなかった。

子どもたちは、「真のビブリオバトル」なんてどうでもよかった。だって読みあげるだけでも、実際にチャンプ本を取れるのだから。ぼくが手本として紹介《しょうかい》し

てみてもだめだった。バトラーのうち、だれか一人でも本を読みあげる子がいたら、あとは全員その子のまねをし、再び朗読バトルに突入《とつにゅう》した。むしろ堂々と読む子の本が投票で選ばれやすいので、だんだんだれもが自信満々に読みあげるようになっている気がした。こうして、ぼくの「自分の言葉でしゃべってもらう作戦」はあえなく潰《つい》えたのだった。

そんなビブリオバトルでも、続けているうちに子どもたちの変化が見えてくる。まずはディスカッションタイムでの質問のバリエーションが豊かになってくることだ。最初のうちは「一番おもしろいページはどこ?」「何回読んだの?」くらいだったが、「一番キライなキャラクターはだれ?」「なぜその女の子は泣いてしまったの?」「あなたがその物語から学んだことは何?」など、しっかり発表を聞いていないと出てこない質問が徐々《じょじょ》に登場するようになった。

そんないい質問をしてくれる子どもの中に、アリスという女の子がいた。彼女は小学五年生で、ビブリオバトルに欠かさず来てくれる常連さんだ。ぼくは毎回だれか一人はバトラー初挑戦《はつちょうせん》となるように図書館で勧誘《かんゆう》していたけれど、アリスは決してビブリオバトルで発表をしようとはしなかった。しつこく声をかけていたが、彼女の前にある壁《かべ》は高くそびえ立っていた。

でも、バトラーの数が足りなかったある日のこと、友だちにも押《お》されて、ついに渋々《しぶしぶ》発表を行うことになった。

「My Grandpa（私のおじいちゃん）」

本のタイトルを告げるアリスの手は、いつもの質問をするときとはちがい、小さくふるえていた。アリスの本の紹介《しょうかい》は、ほかの子と同じく内容の読みあげだった。ただ、彼女は絵本が見えやすいように、聞き手の方に大きく広げて持っていた。ぼくがほかの子に向けてしていた注意をよく聞いていたのだ。

「アリスはおじいちゃんが好き？」

「とっても好きよ。今はちがう村に暮らしているけど」

質問に答えるときには、彼女の手はもうふるえていなかった。そして、この日のチャンプ本を手に入れたのはアリスだった。

それからアリスは、バトラーでもビブリオバトルの常連になった。あんなに発表をためらっていたのはなんだったのかと思うくらい、率先《そっせん》して前に立つようになった。ぼくが何かをしたわけではないけど、なんとなく誇《ほこ》らしい気持ちだ。

そんなアリスが、低学年の子に本の説明をしているのを図書館で見かけた。

「Olketha go lo riva an lukim crocodile.（彼らは川へ行って、ワニを見つけたの）」

ああ、なるほど……。低学年の子だとまだ英語がわからないから、ピジン語で説明しているんだ。本は英語で書いてあるけど、ふだん話す言葉はピジン語なので、ピジン語の説明のほうが頭に入りやすいのだろう。

「あっ！」

思わず空を見上げた。ぼくの目にはビブリオバトルの天使が映っていた。あるいはそれは、ソロモンの精霊《せいれい》だったのかもしれない。

さて、その翌日。

「今日もビブリオバトルに来てくれてありがとう」

いつものように、教育局に集まった子どもたちの前で言う。

「今回から、ビブリオバトルにルールを一つ加えるよ」

子どもたちが軽くどよめくのがわかる。

「ビブリオバトルでは、英語を禁止します」

「えーっ⁉」

「何で⁉」

「いいの⁉」

ざわめきを制して、ゲームを始める。

一人目はリサというアリスと同学年の女の子だ。英語が使えないので、ピジン語で語りだす。

「みんなが寂《さび》しいなって感じるのはどんなとき？　この本に出てくる女の子はこうだったの。お母さんが……」

おおお⁉　自分の言葉で話している！　これまでどんなに言っても本の文章をそのまま読むだけだったのに！

やっぱり子どもたちには「発表といえば英語を使わないといけない」という思いこみがあったのだ。でも、正しくない英語を使うと先生やまわりの友だちに注意されてしまうので、ビブリオバトルのときでも本に書いてある「正しい英語」を使っていたのだろう。英語を禁止にして、ピジン語のみにしたとたんに発表が自分たちの言葉になっていった。そして、思わぬ副産物として、いつもなら発表を集中して聞き続けられない子どもでも、ピジン語なら黙《だま》って座《すわ》って聞いていた。

英語の文章の読みあげは、じつは聞き手にも負担になっていたのか……。

この日のゲームはかつてなく盛りあがり、教育局のビブリオバトルでは英語禁止というルールが加わった。学校で行うときには、クラスのレベルや授業の目的に応《おう》じて英語にするかピジン語にするか決めればいい。まったく、なんでこんな簡単なことに何カ月も気づかなかったのだろう。

実は、子どもたちが本をそのまま読んでしまう問題以外にも、ぼくには悩《なや》みがあった。それは、ぼくが学校に行く機会が予想していたよりかなり少ないということだった。ビブリオバトルを伝えに島の学校に出張したのは、これまでソロモンにいた一年四カ月で三回だけ。合計五校でしか模擬《もぎ》授業ができていない。イザベル州には五〇近くの小学校、中学校があるのだが、天候不順だったり、なぜか予算が下りてこなかったりで、結局出張したのが数カ月に一回程度だったのだ。こんなペースでは、イザベル州の読書環境《かんきょう》を変えるなんて、とても無理な話だ……。

ああ、せっかくビブリオバトルがソロモンで盛りあがるコツをつかんだのだから、たくさんの学校に広めたい。

ソロモンの日差しの下で、ぼくは肌《はだ》だけでなく気持ちもじれていた。

15　イザベル州の学校めぐり

二〇一七年三月三日、午前六時。イザベル州教育局にぼくはいた。いつもよりかなり早い時間だ。これから三日間の出張が始まる。早朝のほうが涼《すず》しく、波も穏《おだ》やかなので、出発時はこれくらいの時間に集合することが多いのだ。

待ちに待った今回の出張の目的は、学校の視察だ。日本では年度の終わりは三月だけど、ソロモンでは二月。そのため、学校ではすでに新学期が始まっている。そこで、教育局のスタッフで、学校がきちんと始まっているか、児童・生徒や先生がきちんと登校しているかを手分けして確認《かくにん》してまわるのである。

しかも今回の行先は、ぼくにとってほぼ未知の領域だ。サンタイザベル島に住んで一年以上になるのだが、意外と行ったことのあるエリアは狭《せま》い。今回は、島をボートでぐるりとまわってアラダイスという村まで行き、同じ航路を海岸沿いに十校ほど転々と訪問しながら帰ってくる。この出張は州内の読書推進をしたいぼくにとって、学校図書室の実態《じったい》を知るいい機会になるだろう。暗い中家を出たせ

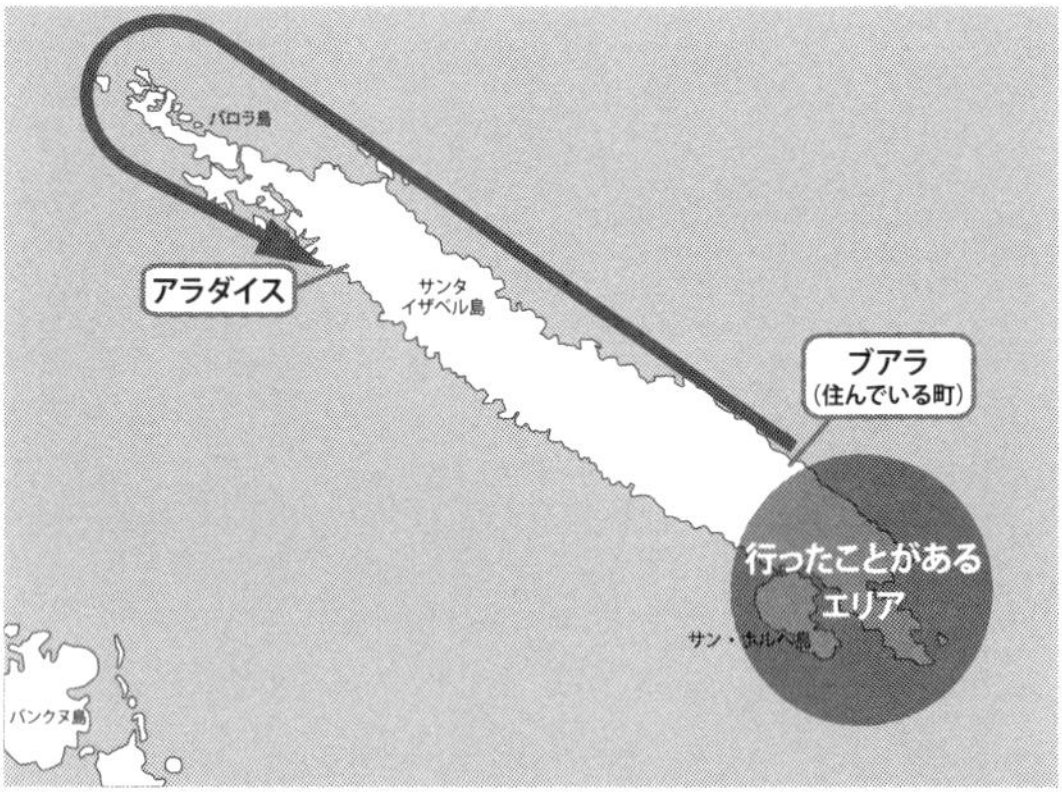

いで、職場に来る途中《とちゅう》つまずいて転《ころ》んでしまったが、旅の意義を考えればへっちゃらだ。

チーフのジェームスがやってきた。

「おはようヒロ。ボートの燃料を入れ忘れてたから、出発は一時間遅《おく》れるよ」

「Hemi oraet（問題ないよ）」

ようやくボートに乗りこむと、雨季真っ盛りでがんがん雨が降る。途中の村で豪雨《ごうう》をしのぎつつ、ボートは島沿いを走っていく。旅は長いのだ。

島の先端《せんたん》あたりに来ると、信じられないくらい波がなくなる。サンゴ礁《しょう》と島に囲まれた熱帯の海。ボートのエンジンと、たまに跳《は》ねる魚がいなかったら、時が止まっていても気づかないかもしれないくらい静かだ。

ブアラから八時間が過ぎ、ようやく一校目のアラダイスに到着《とうちゃく》した。長時間の

キアの水上の家。たまに床に隙間《すきま》があるので、ものを落とすと大変なことになる。

ボートの旅で、じつのところすでに疲労困憊《ひろうこんぱい》だ。校長先生に勤務状況《きんむじょうきょう》など確認した後、読書推進とビブリオバトルについて話す。今回は実践《じっせん》している時間がないので説明をするだけだが、ルールの説明が書いてある英語版※リーフレットを日本から送ってもらったので、それを渡《わた》す。この学校にはわりあい大きな図書室があったが、地《じ》すべりで建物が倒《たお》れそうになっていて、立ち入り厳禁だった。

結局、この日はさらに二校をまわり、キアという町の水上コテージで泥《どろ》のように眠《ねむ》った。なぜそんなお洒落《しゃれ》な場所で寝《ね》たのかと言えば、ここでは海の上に家を建てる習慣があるからだ。イザベル州でもほかでは見ないような家の佇《たたず》まいなので、なぜこの町だけこういう文化があるのか、不思議だ。

それにしても、チーフのジェームスも同僚《どうりょう》のエディも、疲《つか》れたようすを見せない。雨の中のボート移動はつらくなかっ

※立命館大学　近藤雪絵先生による
「English Bibliobattle Rulebook」
ビブリオバトルオフィシャルウェブサイトの「ビブリオバトル素材集」よりダウンロード可能　http://www.bibliobattle.jp/resources

たのだろうか。慣れてるとはいえ、さすがだ。ぼくもあと二日、がんばらねば。

「いいか？　ヒロ」

「何？　ジェームス」

「なるべく学校にいる時間を減らして、今日中にブアラに帰ろう。……筋肉痛だ」

あっ、やっぱりつらいのか。ちょっと安心した。

ソロモン諸島にある学校をいくつもまわっているとだんだん麻痺《まひ》してくるのだが、ほとんどの学校では登校するのにかなりの身体能力が要求される。裸足でなければ行けない学校もある。赤土の急斜面《しゃめん》でサンダルを履《は》いていると、すべって一歩も進めないからだ。ソロモン諸島の子どもたちは、そういう場所でたくましく育っていく。

ジェームスの言葉通り、学校をぽんぽんまわって、ぼくたちは残りの二日間で一〇校の確認《かくにん》を終えた。だいたいイザベル州の三分の二の学校をま

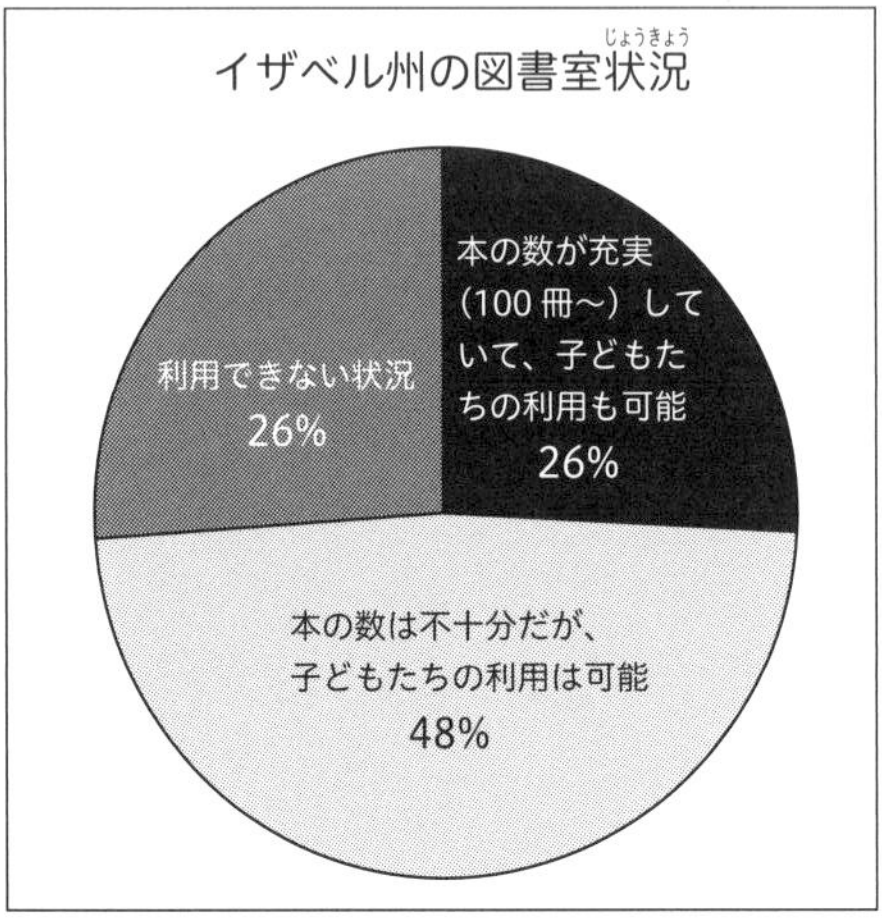

訪問先の学校の図書館
これでも本の冊数《さっすう》が多い

わったことになるが、図書室状況をざっくりまとめると前ページのグラフのようになる。今回、出張したエリアは人口が少ないせいもあるのか、図書室の本が充《じゅう》実《じつ》している学校は少なかった。充実《じゅうじつ》した図書館というのが「一〇〇冊～」というのはかなり疑問だけど、およそ四分の三の学校では、一応子どもたちが本を利用できる状況《じょうきょう》だということがわかった。ただ、子どもたちが頻繁《ひんぱん》に図書室を利用している学校というのをまだ見たことがない。

今回の出張を終えて、「次に来るときは、ビブリオバトルをするから！」と、すべての学校で公言したのだけれども、果たしてどれくらいの学校へ行けるのだろうか。

まだやっと現状がつかめてきたような段階だけど、残り半分の任期で一人でも多くの子どもが読書の楽しさを知ってくれたらとてもうれしいのだが……。

◆ソロモン諸島の物語④　やってきた戦争

一九四二年三月、大日本帝国《ていこく》陸軍の兵士たちが、ソロモン諸島の当時の最北端《さいほくたん》であるショートランド諸島に、敵兵と遭遇《そうぐう》することなく上陸した。オーストラリア軍を牽制《けんせい》し、さらにオーストラリア・ニュージーランドとアメリカをつなぐ海の輸送路を断《た》つため、日本軍は南方への進出・メラネシア地域の占領《せんりょう》を重要な戦《せん》略《りゃく》の一部と考えていた。そして不幸にも、ソロモン諸島はその線上に位置していたのだった。ソロモン諸島の中でも最大の島であるガダルカナル島は、世界史に残る激戦の舞台《ぶたい》となってしまった。そしてそれはソロモン諸島の人々に、大きく暗い傷跡《きずあと》を残した。

一九四二年五月までに、約三万人の大日本帝国《ていこく》陸海軍がガダルカナル島北部とツラギを占領《せんりょう》した。同年七月、日本海軍はガダルカナル島に飛行場の建設を開始する。この建設に米軍は大きな危機感を抱《いだ》き、完成前に一大反攻《はんこう》を決定。米軍は約五万人の海兵隊・陸軍を、日本軍は計約三万三千人の部隊を投入したが、米軍は飛行場の無血占領《せんりょう》に成功し、制空権・制海権を掌握《しょうあく》した。日本軍の輸送船はことごとく米軍の攻撃《こうげき》を受け、糧食《りょうしょく》が不足した日本軍にとってガダルカナル島はまさしく「餓島《がとう》」へと変わっていった。そして体力を失った将兵に、マラリアが襲《おそ》いかかった。戦史によると、日本軍の戦死者約二万二千人のうち約一万七千人の死因が、餓死《がし》とマラリアであった。

ここで詳述《しょうじゅつ》はできないが、日本軍は同時二面作戦（ガダルカナル島戦とポートモレスビー攻略《こうりゃく》など）の展開、情報戦での敗北、戦場が根拠《こんきょ》地（ラバウル）から遠すぎたこと、日米間の生産力の差が大きすぎたことなど、いくつもの戦略的ミスを犯《おか》し、悲惨《ひさん》な敗北を喫《きっ》した。ガダルカナル島は南進の分岐点《ぶんきてん》となり、日本軍はその後の戦いの主導権を完全に米軍に握《にぎ》られ、敗戦への道のりを歩むことになる。

ソロモン諸島の人々にとって、この戦争は勃発《ぼっぱつ》したものではなく、突然《とつぜん》「やってきた」ものだった。規模も内容も、ソロモン諸島の人々が伝統的に行ってきた戦争（というより戦闘《せんとう》）の概念《がいねん》をはるかに超《こ》えていた。しかもそれは、日本軍と連合国軍の戦争であり、彼らのものではなかった。ソロモン人警察官に捕《つか》まった日本兵が「殺してほしい」とたのんだところ、警官が次のように語ったエピソードが残っている。

「いくらたのまれても、あなた方を殺すことはできない。アオケに連行するだけだ。わたしたちソロモン人と日本人が戦闘《せんとう》状態にあるわけではない。この点ははっきりさせておく必要がある。あなた方が戦っているのは、イギリス人であり、アメリカ人である。わたしたちではない」

しかし、ソロモン諸島の人々は、この戦争で単なる「傍観者《ぼうかんしゃ》」ではすまされなかった。日本軍は当初彼らに友好的な手を差《さ》し伸《の》べたが、やがて食料や物資を手に入れるため死《し》に物狂《ものぐる》いになった。日本兵たちは教会を襲《おそ》い、銃口《じゅうこう》で労働を強制し、言うことをきかない者やスパイの疑いのある人々を拷問《ごうもん》にかけ、口先だけの支払《しはら》い約束のもと、プランテーションや畑から欲《ほ》しいものを取っていったという。

日本軍・連合国軍双方《そうほう》からの使役《しえき》、ソロモン諸島への輸送ルートが閉ざされることによる食物や日用品の不足、さまざまな別離《べつり》、社会秩序《ちつじょ》の乱れ、そして両軍からの残虐行為《ざんぎゃくこうい》により、ソロモン諸島の人々は大変な苦しみを被《こうむ》った。

そんななか、米軍の黒人兵士が白人兵士と同じ地平で渡《わた》り合っていることに人々は深い感銘《かんめい》を受けた。有り余るほどの物資を持ち、いろいろなものをくれた兵士たちの気前のよさも印象的だった。戦争による傷は痛ましいものだったが、ソロモン諸島の人々にとって、領主国以外の国との交流・接《せっ》触《しょく》の機会ともなった。このさまざまな体験は、人々の自己認識《にんしき》の変革を生み出し、戦後の独立運動への起爆剤《きばくざい》にもなっていった。

とはいえ、戦争はソロモン諸島の人々の暮らしをずたずたに裂《さ》いてしまった。

16　芽を出したビブリオバトル

「今日のゲームは楽しかった？」

「ＹＥＳ‼」

子どもたちの声がホールに響《ひび》く。ぼくは島の裏側にあるガガオロ小学校でステージに立っていた。

サンタイザベル島に赴任《ふにん》して一年と四カ月となり、この学校でビブリオバトルをするのはこの日で二度目だ。去年もそうだったが、ここで行うゲームの雰囲気《ふんいき》はとてもいい。質問する児童も答える児童も楽しそうなので、司会のぼくもうれしくなる。

ぼくにしても、前に来た時より進行の腕《うで》を磨《みが》いている。ソロモン諸島でビブリオバトルを始めておよそ一年、子どもたちの視線を浴びても緊張《きんちょう》しないし、日本の童謡《どうよう》を歌って場を和《やわ》らげる余裕《よゆう》だってある。

でも、この学校で二度目のビブリオバトルだということは、ぼくのいないところでは一度も開催《かいさい》されなかったということだ。子どもたちにとって本にふれる機会が増えたり、読書する習慣を身につけるためには、それぞれの学校で継続的《けいぞくてき》に実施《じっし》してもらう必要がある。ぼくが来た一回の開催《かいさい》がどれだけ盛りあがろうと、それだけではあまり意味がない。しかし、ぼくの訪問後もビブリオバトルが行われたという話は、どの学校でも一度も聞いたことがなかった。

そんな折り、新しくブアラに赴任《ふにん》した清水梨沙《しみずりさ》隊員の職場であるイザベル州政府では、出張の話が持ちあがっていた。いつもの小舟《こぶね》で、四日間かけて島を一周するという、過酷《かこく》な旅だ。学校の視察もいくつかあると聞き、たのみこんでぼくも連れて行ってもらえることになった。ちょっと強引《ごういん》だけど、計画通りに物事が進まないことの多いソロモン諸島では、行ける時に行かないといつの間にか出張のチャンスがなくなってしまう。これで、まだ訪ねていなかった学校を見ることができるだろう。

ちなみに、清水《しみず》隊員のソロモン諸島での目的は「環境《かんきょう》教育」だ。彼女はこの出張に行く四日前に、ウミガメの保護区アナボン島への出張から帰ってきたばかり。

それも片道七時間のボート移動だ。赴任《ふにん》して一カ月未満の隊員がすることとは思えないけど、イザベル州の出張は忙《いそが》しいときはとことん忙《いそが》しいのだ。

出張時に、清水《しみず》隊員の職場チームが、州政府主導で行っている診療所《しんりょうじょ》や校舎の改築工事の進捗《しんちょく》を確認《かくにん》したり、ゴミ処理の仕方を調査したりしている間、ぼくは村の学校図書室や教室のようすを見せてもらっていた。学校では肌の色がちがうゲストがめずらしいようで、自己紹介するだけであらゆるクラスから子どもたちが集まってくる。

そうやって村を巡回《じゅんかい》して三日目、フロナという小学校を訪《おとず》れた。ぼくの住んでいる町からは最も遠いエリアの学校で、もちろん足を踏《ふ》み入れるのは初めてだ。授業はもう終わっていたので、校長先生にたのんで図書室を案内してもらった。

「君だろ？　ビブリオバトルっていうプログラムを進めてるのは……」

「そうです。覚えていてくれたんですね。ありがとう！」

じつは、この学校は去年、リテラシー担当の同僚《どうりょう》が二人だけで出張したとき、ビブリオバトルを行ってくれた学校だったのだ。

「あれはいいゲームだね。うちでは毎週金曜にやってるんだ」

――…………え？

「最初の週に各クラスでチャンピオンを決めるだろう。次の週に村のホールで決《けっ》勝戦《しょうせん》をやるんだよ」

――ああ、もしかして、

「ホールには親がたくさん見に来てね。シニアの部とジュニアの部のために、トロフィーを二個買ったんだ」

――ぼくがしてきたことは、

「じつは、授業に来ない児童も多かったんだけどね。ビブリオバトルをする日は彼らが学校に来るんだよ。ありがとう」

——無駄《むだ》じゃなかったんだ……。

村にはカメラがないので、ビブリオバトルのようすがわかる写真はなかったのだけれども、急きょ校長先生へインタビューをすることにして、それをビデオに撮《と》らせてもらった。このインタビューで心が舞《ま》いあがり、この後の出張で何をしたのかよく覚えていない。

とにかく四日目には無事島一周を終え、ブアラに帰ってきた。島の反対側で知らないうちにビブリオバトルが行われていたという事実は、ぼくにとってとてもうれしいことだった。と同時に、今の活動のやり方について考えさせられたことでもあった。現地の同僚《どうりょう》が説明した方が、より説得力があるということなのかもしれないし、単純に同僚《どうりょう》のプレゼン能力がすばらしいからなのかもしれない。何しろ彼女たちは、ぼくより自信満々にビブリオバトルについて話すのだ。帰ってから二人にその報告とお礼を言ったら、「そうでしょ」という顔で自慢《じまん》げに笑っていた。

いずれにせよ、やっと自主的にビブリオバトルを行っている学校が現れて、かなり気持ちが楽になった。継続《けいぞく》は力なり！　そして、さらにうれしいことに冒頭《ぼうとう》のガガオロ小学校で行ったビブリオバトルのことがソロモンの新聞紙「ソロモンスター」（五月十七日付）に掲載《けいさい》された。そのほか、ぼくがいるあいだに、新聞には十四回ほど写真入りで掲載《けいさい》された。ピックアップして紹介《しょうかい》しよう。

8 LOCAL NEWS

www.solomonstarnews.com

Most of the students who took part in the reading challenge.

Students stage reading game

A student during the game.

▽ Solomon Star
2017 年 5 月 17 日の記事の日本語訳

「生徒たちが読書ゲームの舞台《ぶたい》に立つ」

イザベル州のガガオロ小学校で、先週金曜日にビブリオバトルと呼ばれる読書推進イベントが行われた。ビブリオバトルとはイザベル州教育局で勤務しているヒロフミマスイによって推進されているプログラムだ。シンプルな書評ゲームで、何人かのプレーヤーがお気に入りの本について 5 分間で語り、勝者は投票によって決まる。

金曜日、4 年生から 6 年生の生徒がこのゲームに参加した。5 冊の本が紹介《しょうかい》され、“Tome’s fish” が 26 票を集め勝利した。

ヒロフミ氏は、「識字能力は教育の土台。もし先生がビブリオバトルを授業で定期的に行えば、生徒たちがたくさんの本を読めるようになるだけでなく、スピーチや議論の練習にもなるだろう」と語った。　（訳：益井《ますい》）

2016年10月9日
Solomon Star
（イザベル州教育局での新しい図書活動）

Japanese volunteer Masui Hirofumi overseeing one of the reading exercises with primary school students of Isabel.

New reading activity introduced in Isabel

A new programme aimed at promoting reading amongst school children has started in Isabel.

Japanese volunteer Masui Hirofumi, who is currently serving with the Isabel Education Authority, initiated the programme.

Hirofumu said the programme is called Bibliobattle.

He explained:

"It is a simple book review game.

"Four to six players recommend their favorite book and given five minutes to read them.

"After question time, a champion book is elected by through vote by the participants.

"This exercise helps students to understand the story, train them in public speaking, and give them listening skills.

"In Japan, Bibliobattle is booming there."

Hirofuma said at the Isabel Education Office, Bibliobattle is held every week.

He said the programme helps students gain skills in presentation and improve their ability and confidence to ask questions.

He added the programme has now been introduced in five schools in Isabel.

"Reading is very important for children in literacy and development. I want children to use libraries and read more books."

10 LOCAL NEWS

Coronation School joins in Bibliobattle

2017年10月20日
Solomon Star
（ホニアラ市コロネーション小学校でのビブリオバトル）

CORONATION School in Chinatown last Friday participated in 'Bibliobattle' exercise.

Bibliobattle is a reading program promoted by JICA volunteer Hirofumi Masui in Isabel Education Authority.

It is a simple book review game.

Some players explain their favourite book for 5 minutes, then a winner is decided by vote.

MR. Hirofumi and two form 3 students played on a stage.

Champion book was "DADS" by a form 3 boy.

"Students tried to understand the story to answer the questions of participants" a teacher said.

Mr Hirofumi said Bibliobattle can motivate students to read books.

Literacy is the basis of education.

"I hope all schools in Solomon Islands use Bibliobattle for improving literacy."

Mr Hirofumi started tour to introduce Bibliobattle for schools.

He is going to visit schools at Honiara, Guadalcanal, Malaita, Central, Makira, Choiseul, Western provinces supported by JICA.

Hirofumi Masui and two students playing the Bibliobattle.

One form 3 girl explained her favorite book

Many students were interested in the story.

A Boston kid presenting her book of choice for the program.

Hiro Masui informing the kids of Bibliobattle.

'Bibliobattle' for Boston kids

Children of Boston, Skyline ridge, Central Honiara were involved in a 'Bibliobattle' program as part of their holiday.

Organised by the Boston youth committee of Skyline ridge, volunteer members of Japanese International Cooperation Agency (JICA) were welcomed at Skyline ridge, on Friday.

'Bibliobattle' is a program to enhance the young kids reading skills.

JICA volunteer Hirofumi Masui led the kids in the program with some singing followed the Bibliobattle, with the help of eight (8) new Japanese volunteers, who recently arrived in the country.

Parents and supporters of the kids also came out to support them in the first of its kind program for Boston.

Boston Youth kids listening attentively to one of the book presentations.

（ホニアラ市の地域団体でビブリオバトル実施）

17 隣国《りんごく》にまで広がっている！

空港に降り立った瞬間《しゅんかん》、湿気《しっけ》の少ない風が吹きつけてくる。七月の今は乾季《かんき》とはいえ、年中汗《あせ》が止まらないソロモン諸島とのちがいを感じる。ここはソロモン諸島の南東およそ千キロメートル、飛行機でわずか二時間ほどの場所にある島国、バヌアツ共和国だ。

青年海外協力隊には、年に二〇日間まで自分の任国以外を訪問できる「※任国外旅行制度」というものがあり、今回はそれを利用して先輩《せんぱい》隊員とともに旅行に来ている。その制度で渡航《とこう》できる国は任国の近隣《きんりん》数カ国に限定されているので、正《せい》確《かく》には「任期中の海外旅行に行ける日数と行先を制限する決まり」ともいえる。

民族はソロモン諸島と同じくほぼメラネシア系で、人口はソロモン諸島の約半分という。毎年多くのソロモン隊員が旅行先としてバヌアツ共和国を選択《せんたく》し、そしてバヌアツを大好きになって帰っていく。その理由の一つは、バヌアツ共和国の公用語の一つであるビシュラマ語が、ソロモン諸島で使われているピジン語と

※任国外旅行制度
現在はどこの国でも行くことができる制度に変更された。

スーパーマーケット
Bon Marche（ボン・マルシェ）

似ているので、会話に不自由しないこと。そしてもう一つが、ソロモン諸島より近代的で、また国として観光業に力を入れていることだ。

なかでもソロモン隊員の心をつかんで離《はな》さないのは、首都にあるスーパーマーケット。ここに来るだけであらゆる生活用品が買える。そんなの当たり前じゃないかと思うかもしれないが、ソロモン諸島では首都でも……たとえばパンを買うならあのお店、ごま油を買うならあのお店、トマトソースを買うならあのお店というように、街中を移動しないといけない。それがぎゅっと凝縮《ぎょうしゅく》されているスーパーがある。なんて便利なんだろう。しかも、バヌアツでは畜産《ちくさん》が盛んで、ソロモンではなかなかお目にかかれない牛の塊肉《かたまりにく》が安く手に入るのだ。

そして、町外れのバーで行われる大迫力《はくりょく》のファイアーショー、首都からほど近いハイダウェイ島で投函《とうかん》できる海中ポスト、半日で島を一周ドライブして伝統の踊りなどを楽しむツアー、鎮静《ちんせい》作用を持つ不思議な飲み物カヴァ……。

ソロモン諸島にはないさまざまな観光スポットが目白押《めじろお》し

だ。ソロモンでもまねすればよさそうなものだけど、たとえば島をまわるツアーをしようと思っても、車で通れる道は首都から離《はな》れると途切《とぎ》れてしまう。観光スポットは一日にしてならずだ。とくに圧巻だったのが、タンナ島にあるヤスール火山。ここは世界で一番火口に近づける火山として知られ、とても危険だけど、地球の脈動をまざまざと実感できる。

ソロモン諸島にない観光名所に心を奪《うば》われつつ、青年海外協力隊の同期隊員であるよっしー（情野吉彦《せいのよしひこ》隊員）の活動を見学するのもこの旅行の目的のひとつだ。バヌアツ共和国教育省配属のよっしーは、教育の質の向上のためにバヌアツの学校でどんなことをしているかを調査し、行われている取り組みを各学校で共有するようにしたり、新たな授業プログラムを提案したりしている。

よっしーが今、活動している小学校へ訪問すると、先生が授業を始めていた。

「さあみんな、もう何回もやってるからわかっているだろう。自分が選んだ本の中身をグループのメンバーに説明するんだ。質問タイムの後、投票でチャンピオンを決めるからな」

この先生が説明してるのは……ビブリオバトル⁉

ビブリオバトルの
説明をする先生

じつは、よっしーとは渡航《とこう》前にあった海外青年協力隊の訓練所の英語クラスでいっしょだった。研修のときにぼくが模擬《もぎ》授業で行ったビブリオバトルを覚えていて、バヌアツ共和国のリテラシー向上のためのプログラムとしてビブリオバトルを提案し、実施《じっし》していたのだ。

五年生のクラスで隔週《かくしゅう》で行っているビブリオバトルは、今回で八回目だという。児童も先生も慣れていて、進行がとてもスムーズだ。もしかしたらよっしーはぼくよりしっかり普及《ふきゅう》できているのかもしれない……と若干《じゃっかん》気持ちがざわついたが、ぼくも飛び入りでその授業に参加させてもらった。

授業はグループごとに行われ、チャンプ本をとった子どもたちによる決勝戦《けっしょうせん》となった。

さて、果たしてこの日、四〇名を超《こ》えるクラスの頂点に輝《かがや》いたのはだれなのか……。

なんと、ぼくでしたー！

火山の仕組みについての本を、ヤスール火山に行った感動を交《まじ》えて話したのが子どもたちの心に響《ひび》いたようだ。大人《おとな》げないというなかれ。勝負の世界はいつもきびしいのだ。授業を参加させてもらったお礼に、ギターを弾《ひ》いてソロモンの歌を子どもたちにプレゼントした。

バヌアツ共和国は、旅行者にとって観光立国しようとしている国の心地《ここち》よさと、フランス統治を受けていたことによる文化があって、ソロモン諸島とのちがいを感じた。

ただ、公用語が英語・フランス語・ビシュラマ語と三つもあることで、教育現場がふりまわされることも多いようだ。隣国《りんごく》であり、同じ協力隊の教育活動といっても、簡単に比べたりできないことがよくわかった。とはいえ、バヌアツ共和国でビブリオバトルが学校現場に広がっていることがとてもうれしく、自分がソロモン諸島でビブリオバトルを行っていることへの可能性を感じた旅だった。

◆ソロモン諸島の物語⑤　独立とそれから

　第二次世界大戦が終わると、イギリスがソロモン諸島に戻《もど》ってきた。イギリス人植民者や宣教師、商人たちの大半は、日本軍が侵攻《しんこう》してくるよりも早くオーストラリアに疎開《そかい》していた。

　ときに武力行使も厭《いと》わずに圧政的な支配を推し進めていたにも関《かか》わらず、現地社会を戦《せん》禍《か》から守ることすら放棄した植民地政府を、ソロモン諸島の人々は歓迎《かんげい》しなかった。戦争中彼らが見た「白人ではないが白人を追い出したもの」（日本人）と「植民地以外の目的で来た白人」（アメリカ人）の姿は、ソロモン諸

島の人たちの世界観を変化させた。マライタ島などでは地方政府を目指すような組織も設立され、独立への気運が高まっていった。

一九六〇年代に至り、ようやく植民地政府はソロモン諸島を自主政府へと急速に移行させはじめた。同時に森林の資源調査や地質学的調査なども実施《じっし》され、より詳《くわ》しい情報を元に経済開発計画の立案が図《はか》られ、より多くの公務員を必要とした新首都ホニアラの人口は膨《ふく》らんだ。

一九七〇年代にはほとんどの立法評議会の代表はソロモン諸島民になり、政府事業は現地の手に委《ゆだ》ねられていった。また保健衛生状態の改善を積み重ねたことで、人口の急速な増加が起こった。そして一九七八年七月七日、ソロモン諸島はついに独立を果たした。

もちろん問題も多かった。議員制のシステ

ムは、イギリスが期待したほどうまくは機能しなかった。また西ソロモンの人々にとって、独立とは中央ソロモンやマライタ島出身の代表者による政府を意味した。西ソロモンはもちろんそのような事態を望まなかったが、結局独立に従うかたちとなった。

ソロモン諸島の人口は独立してからも増加を続け、首都ホニアラにはより多くの人が流れこむことになった。二〇〇〇年には、増加したマライタ島からの移住民と原住民との間で土地領有をめぐる対立が生じた。この対立は武力による衝突《しょうとつ》にまで発展し、ソロモン政府は自国の警察だけで対応しきれない事

態に陥《おちい》った（このとき、青年海外協力隊含《ふく》めすべての在留邦人《ざいりゅうほうじん》は国外退避《たいひ》を余儀《よぎ》なくされた）。

二〇〇三年、政府の要請《ようせい》を受け、オーストラリアとニュージーランドの軍と警察約二二〇〇人が出動し、ようやく治安が回復した。

外国からの援助《えんじょ》ありきの財政、マラリア、そして材木輸出のための森林破壊《はかい》など、現代の課題は数多い。ちなみにかつての材木のほとんどの輸出先は日本だった。ただ、二〇一七年現在では丸太・製材ともに、日本への輸出は一％未満だそうだ。

西洋文明との接触《せっしょく》後、多くのことが変わったソロモン諸島だが、今も大多数の人々は農村で土地や海に依存《いぞん》した自給自足生活を営んでいる。ソロモン諸島は「最後の秘境」と呼ばれる自然豊かな島国だ。数ある課題とどう向き合い、これからどんな物語を紡《つむ》いでいくかは、今のソロモン諸島の人たちの選択《せんたく》にかかっている。そしてそれは、ぼくたち日本人にとっても決して無関係なことではない。

18 ソロモン諸島全国教育局会議

二〇一七年八月二一日。

「すべての州の教育局長にお越《こ》しいただき、誠《まこと》に光栄です」

いつも柔和《にゅうわ》な表情の上司ジェームスが、緊張《きんちょう》の面持《おもも》ちで話している。これから、ソロモン諸島に九つある州の教育局長、キリスト教各宗派の教育関係者、教育省職員など、約五〇人が一堂に会する全国教育局会議（National Education Authority Conference）が、五日間にわたって行われるのだ。この会議は年に一度、教育局幹部によって開催《かいさい》される。教育局は各地の学校を管轄《かんかつ》する部署なので、ここでソロモン諸島の全学校の課題や取り組みが共有されることになる。いわばソロモン諸島の教育サミットのようなもので、投票で選ばれた開催《かいさい》地では、おもてなしに、文化紹介《しょうかい》にと、期間中は町を挙げて盛りあがる。

そして、この年の開催《かいさい》地となったのが、ぼくの任地イザベル州ブアラなのだ。セレモニーの入念なリハーサル、女性陣《じょせいじん》によるゲストの食事の手配、周辺学校との各種調整等々、ブアラの人たちの準備のようすはすさまじかった。ふだんは海を見ながら談笑《だんしょう》しているだけに思えたけど、やるときはやるのである。いつもビブリオバトルに来ている子どもたちも、今日は開会のセレモニーの壇上《だんじょう》で詩を読んだりしている。みんなが緊張《きんちょう》しているのが伝わってくる。しかし、それ以上に身体を固くしている人間がいた……。

ぼくである。この会議に、ぼくは今後の活動を賭《か》けていたのだ。というのも、さかのぼること約一カ月前、それは上司のジェームスの言葉からはじまった。

「ヒロ、教育局会議で、ビブリオバトルに関するプレゼンをしてくれないか」

願ってもないチャンスだった。

ぼくは、じつはビブリオバトルをイザベル州だけでなく、ソロモン諸島全域に広げたいと考えていた。しかし、交通インフラが発展していないので、そう簡単に移動ができない。どこへ行くにも首都を経由しなければならないので、かなりの金額と時間がかかる。もし、この会議でほかの州の教育局長にビブリオバトルの価値を理解してもらえれば、そこへの出張が認められるかもしれない。

プレゼンできる時間は二〇分間。そこで、ぼくは教育局長たちの心を動かさなければいけない。目標は一つ……、いや三つの州からオファーをもらうことだ。

さて、会議はどの宗派のクリスチャンでも知っている聖歌の合唱とお祈《いの》りに始まり、学校の情報収集、児童・生徒の健康管理、校舎の状況《じょうきょう》、オンライン教材の導入などについてのプレゼンがあり、そのあとに議論が行われる。学校での出張授業などとはちがい、エアコンの効いた部屋《へや》で、プロジェクターやマイクを使うことも可能だ。それだけでものすごく先進的な会議に出席している気分になった。

ぼくのプレゼンは、三日目にまわってきた。

「ぼくの名前はヒロです。一昨日は歌を聴《き》いてくれてありがとう！」

聞き手の笑顔《えがお》が見えた。初日の夕食のとき、このツカミのためだけに皆《みな》の前で

ギターの弾《ひ》き語《がた》りを披露《ひろう》しておいたのだ。

ソロモン諸島でのこれまでの活動を盛《も》りこんだ渾《こん》身《しん》のプレゼンは、同僚《どうりょう》を相手に何度も練習をした。密《ひそ》かに心配していたのだが、ぼくがプレゼンしているときに、不意の停電も突然《とつぜん》の豪雨《ごうう》もなかった。はっきり言って、手応《てごた》えはばっちりだ。

「ソロモン諸島に合ったとてもいいアイデアだ」

「定期的に行うことが大事ね」

「任期を延ばして、ビブリオバトルの全国大会をやってよ」

「お金がかからないところがいい」等々……。

ちょっとむずかしい要求もあったけれども、会場は好意的なコメントで溢《あふ》れた。発表の後も、あちこちから「Bibliobattle.. Bibliobattle..」というささやきが聞こえる。この雰囲気《ふんいき》だときっとオファーもあるだろう。ぼくはニコニコしながら席に着いた。

事件が起きたのは、その後だった。ニュージーランドの学習支援《しえん》の団体から来たというその女性は、識字率向上のための授業メソッドについて語っていた。ぼくもお世話になっている教科書〝Nguzu Nguzu Book〟（ヌズヌズ・ブック）を作っている団体である。

アルファベットの正しい発音はどう教えるのか、語彙《ごい》を増やす方法はどうすればいいのか、文の構造の教え方等々……。ネイティブはこんなふうに英語を教えるのか、と感心しながら聞いていると、参加者の一人が発言を願い出た。

「わるいが、我々にはビブリオバトルがある。だから、そんなプログラムは必要ない」

……は？

「それは部分的な答えだわ」

「いいや。我々はビブリオバトルでいく。ビブリオバトルをしていればいいいんだ」

ほかにも何人か、その発言者の言葉に「うん、うん」とうなずいている姿が見えたので、ぼくはあわてて立ちあがった。

「みなさんがビブリオバトルに関心を持ってくれてうれしいです。でもさっきも言いましたが、ビブリオバトルはあくまでゲームです。たしかに、子どもたちにとって本を読むきっかけになったり、スピーチや議論の練習もできると思います。でも、それだけなのです。正しい発音や文法は、先生から習わないといけません。ただしビブリオバトルは、彼女が言うメソッドをうまくサポートしてくれるはずです」

冷《ひ》や汗《あせ》をかきながら、精一杯《せいいっぱい》のフォローをした。まさか、「ビブリオバトルだけしてればいい」と思われてしまったとは……。ぼくはまだ、ソロモン諸島のことがよくわかってないのかもしれない。

こうして、二〇一七年全国教育局会議は幕を閉じた。チョイソル州とガダルカナル州による熾烈《しれつ》な選挙の結果、来年の開催《かいさい》地はチョイソル州に決定した。ちなみに、この選挙は会議の二〇倍くらい盛りあがっていた。閉会セレモニーではそれぞれの州の特産品が交換《こうかん》され、閉幕を祝う村のダンスパーティーは朝の三時半まで続いた。

あやうくビブリオバトル国家になりかけたせいで多少冷《ひ》や汗《あせ》をかいたものの、この会議で自分のプレゼンが好評だったことには自信が持てた。そしてぼくのもとには、六つの州、合計十二名から出張のオファーがきたのだった。

19　出張授業、五〇日間の旅

全国教育局会議からおよそ一カ月、出張授業のオファーをもらったぼくは、スケジュールや予算の調整を行い、ついに九月二五日から五〇日間の長期出張がスタートすることになった。……というと、さらりと決まったようだけれど、それまでがものすごく大変だった。各教育局へ連絡《れんらく》をしようにも、メールが返ってこなかったり、電話すらなかなか通じないところも多い。それぞれの島にいる協力隊員にも協力してもらい、なんとか出張に必要な書類をかき集めた。なお、今回の出張の飛行機代はＪＩＣＡに、宿泊費《しゅくはくひ》や州内の移動費を各教育局に出してもらうことになった。

行くことになったのは、ガダルカナル州、マライタ州、セントラル州、マキラ州、チョイセル州、ウェスタン州の六つ。ガダルカナル州にあるソロモン諸島首都・ホニアラだけは、最初の語学研修や隊員総会で足を運んでいたが、それ以外はすべて初めての場所で、ワクワクする。

ただ、セントラル州は直前になってキャンセルになった。突然《とつぜん》の中止や予定の変更《へんこう》はソロモン諸島ではつきものだけど、今回の出張は旅費を出してもらっている手前、「どこも行けませんでした」とは言いづらい。これ以上大きなトラブルが起きないことを祈《いの》りながらの出張になりそうだ。

まずはホニアラ市へ。首都というだけあって、学校の数も格段に多い。先生たちへのビブリオバトルワークショップを計十カ所行い、“World Teachers Day”という催《もよお》しではビブリオバトルについてのプレゼンをした。

各地で行ったワークショップの最後には、必ずこんなことを聞いてみる。

「どうして日本では、多くの学校がビブリオバ

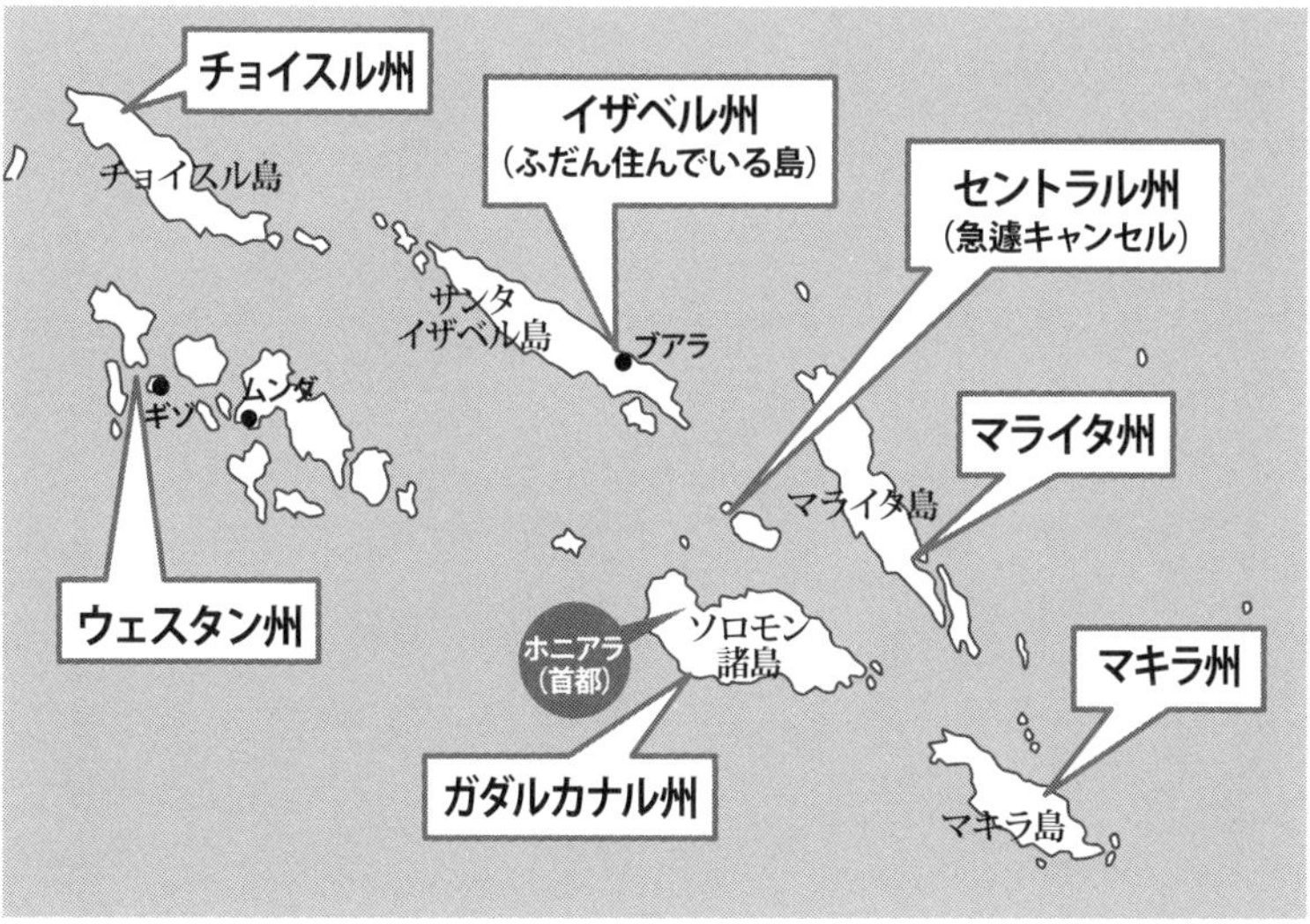

トルを授業に導入していると思いますか?」

講座を受けた先生たちが、しばし考えてから手を挙げる。

「リーディングの練習になるからじゃないかな」

「大勢の前で話す自信をつけさせるためだと思うわ」

正解を用意している問いではない。ソロモン諸島の先生自身に考えてもらうことが大事だ。

ホニアラでの出張で一番驚《おどろ》いたのは、「三〇分ずつのワークショップにして、五校をまわろう」と言われて、行ってみると、

「やっぱり移動が大変だから全員集めておいた。今から五時間、よろしくたのむね。学校のことは気にしなくて大丈夫《だいじょうぶ》。全部休校にしたから」

と待機している四五人の先生たちを前に言われたことだ。はい、五時間、ぼくはがんばりましたよ。でも、そういうことはせめて前日に……。

ほかの州に行くにしても、ソロモンの航空システムは基本的に「ホニアラと各島との往復」なので、結局ホニアラ市の滞在時間が一番長くなった。

マライタ州は、ホニアラに次ぐ第二の都市アウキがある州。アスファルトの道

路はあるし、店もたくさんある。電波はLINE通話が楽にできるくらいいいし、州都アウキはソロモン諸島では立派な都会だ。

図書室の本が乱雑に床《ゆか》に置かれているだけのところが多いソロモン諸島の学校が多いなか、アウキに近いSinasu（シナス）小学校ではニュージーランドのボランティアを受け入れ、本棚《だな》の配置や壁紙《かべがみ》に工夫を凝《こ》らし、魅力的《みりょくてき》な図書室を作りあげていた。先生たちにビブリオバトルについてワークショップをすると、「図書室を使う方法ができた！」と喜んでもらえた。

ワークショップの後、マライタ州教育局長の厚意《こうい》で、アウキから少し離《はな》れたフィウ村で活動しているゆうたさん（本井祐太《もといゆうた》隊員）のところへ連れていってもらった。フィウ村はアウキとはちがい、道路も電気も不安定な、典型的なソロモン諸島の田舎《いなか》だ。ゆうたさんが自宅の前でおもむろに手をたたくと、そこかしこからニワトリが駆《か》け寄《よ》ってきた。卵から孵化《ふか》させて育てているらしい。

次に行ったバナナ・アイランドことマキラ島は、百種類以上のバナナがあるということで有名だ。ただし、マキラ州教育局長の話では七八種類らしい。正確な数の種類はともかく、バナナはとにかくおいしかった。

州都キラキラは、インフラはぼくの任地ブアラと同じくらいだと聞いていたが、最近マキラ島のかなりのエリアで道路を整備したらしく、一歩リードされた感じ。このマキラ島出張の間、じつはぼくの親戚《しんせき》が日本から遊びに来ていて、いっしょに行動した。観光地にはいっさい行かず、ただぼくの出張をサポートするという斬新《ざんしん》な滞在《たいざい》の仕方をしてもらった。いっしょに川で泳いだり、大人数の子どもたちの前で歌ったりして、大満足のようすだった。

ソロモン諸島西端《せいたん》に位置するチョイセル州の州都タロは、ブアラと同じくらいの発展度合いだ（つまり、さほど都会ではない）。タロから少し離《はな》れると、水道や電気もなければ足場もわるい。しかし住んでいる人々の結束は強く訪問者にも温《あたた》かい、という村々が現れる。そういうところもブアラのあるイザベル州によく似ている。チョイセル州やウェスタン州の人たちは、肌《はだ》の色がとくに黒いことで知られている。今は島同士の行き来があるのでわりといろいろな肌《はだ》の色の人が住んでいるのだけど、チョイセルに何日かいると、「肌が黒ければ黒いほど美人」に見えてくる。

タロ島からボートで五分ほど海を渡《わた》ると、学校しかないチョイセルベイという町がある。水道も発電所もないこの町でただ一人、マッチくん（太田《おおた》暁之《あきゆき》隊員）という隊員が理科教育のために奮闘《ふんとう》している。機材が足りない中、工夫《くふう》して授業に実験を取り入れたり、生物の映像をタブレット端末《たんまつ》で子どもたちに見せたりして、理科に関心をもってもらおうとしている。

それだけでなく、子どもたちの栄養状態改善のため、校庭に畑を作ったというから驚《おどろ》きだ。彼はなんと、ぼくが

小学校のころ通っていた近所の歯医者の息子《むすこ》さんだったことが、この地で発覚した。そんな彼とソロモン諸島の端《はし》の島で会うなんて、世界は広いようで近所なのだ。

チョイセル州では教育局職員が別の出張で不在になってしまうという不運があった。ビブリオバトルの模擬《もぎ》授業の交渉《こうしょう》も、直接学校で行わないといけないという飛《と》びこみ営業のようなかたちだったけど、マッチくんの協力もあり、彼の学校を含《ふく》め二校でビブリオバトルを実施《じっし》することができた。

ウェスタン州は昔、もっとも首狩《くびか》りが盛んだった地域として知られているが、今は美しい海を活かし、ソロモン諸島屈指《くっし》の観光地として知られる。とくに州都ギゾは、外国人向けのホテルがあり、西洋人が歩いている姿もよく見かける。スケジュール変更《へんこう》があって最後に訪《おとず》れることになったが、最後で本当によかった。「そりゃ、観光地にもなるよなぁ」という海が広がっている。ボートに乗っていたらイルカも見ることができた。親戚《しんせき》を連れてくるのはここだったかもしれない。

そこでは、州都のギゾ近辺の学校のほか、コロンバンガラ島という成層火山の島の学校でもビブリオバトルの出張授業を行った。小学校だけでなく、教員を養

成する学校でもデモンストレーションをさせてもらえたので、近い将来、さらに別の学校でも実施《じっし》してくれるかもしれない。

この出張でまわった五州七島でワークショップを開催《かいさい》すること二三回、関《かか》わった学校の数は少なくとも三五校、全校生徒の前で行ったものも何校かあるので、参加者はざっくり数えても一四〇〇人くらいに上る。

今回の出張では、なるべく先生にゲームの司会をしてもらうことを心《こころ》掛《が》けた。これはすごく効果的だったと思う。先生たちは「自分でできるもの」として感じてくれるし、子どもたちも普段《ふだん》から慣れ親しんでいる先生が司会を行った方が緊張《きんちょう》せずに話せることが多い。そもそも先生たちは教育のプロだから、もちろんぼくより児童・生徒の盛りあげ方や鎮《しず》め方がうまい人が多いのだ。

その後に確認《かくにん》したら、少なくとも三校はぼくのワークショップ後にビブリオバトルを始めてくれたようだ。なかでも、ホニアラ市のPerch School（ペーチ小学校）では、毎日四名ずつビブリオバトルを行い、最終的に学年のチャンピオンを決めたという。バトラーになった児童は本を一冊調達してこなければならないのに、この学校には驚《おどろ》くことに図書室がない。それでも本を持ってこられるのは、国立図書館があるホニアラだからできることだ。そこでビブリオバトルを行うことは、子どもたちが読める本の数を増やしていることになる。

出張の合間を縫《ぬ》って、五年生の準決勝のようすだけ見に行くことができた。バトラーの一人が、何枚かの紙を抱《かか》えて発表をしていた。「原稿《げんこう》を読んでいるのかな？」と思ったがそうではなかった。なんとその紙が、彼の紹介《しょうかい》する本だったのだ。なんでも、家に本がなかったので、親が知っている昔話を書き留めてきたらしい。す、すごい。ビブリオバトルをしているうちに、ソロモン諸島の昔話が収《しゅう》集《しゅう》できるかもしれない。

授業に取り入れてくれたのは、先生がビブリオバトルのよさをわかってくれたからだ。この日司会をしていたのは、ぼくがビブリオバトルを紹介《しょうかい》したときに司会をお願いした先生だった。ルール説明をし、「投票は真剣《しんけん》に！」と注意する先生の姿に、目頭《めがしら》が熱くなった。

来年度、ホニアラ市評議会では管轄《かんかつ》する十八の学校で、ビブリオバトルの対抗《たいこう》戦を開く予定があるという。その頃《ころ》ぼくはここにいないけれども、なんとか実現できるといいなぁ。

じつはもう、ＪＩＣＡ事務所から帰国準備を急《せ》かされるくらいに日本に帰る日が近づいている。十二月中旬《ちゅうじゅん》にホニアラで報告会があり、翌年の一月十日にソロモンを発《た》つので、任地で過ごせる時間はあと一カ月がいいところだ。

果たして、ビブリオバトルはソロモン諸島に根づくのか？

そして根づいたとして、それが将来、本当にソロモンの教育にとってよかったと思ってもらえるのか？

それは、正直なところわからない。ただ、学校や先生たちがこれからビブリオ

バトルをするという選択肢《せんたくし》も取れるようなワークショップをしたつもりだ。実際、直前のキャンセルがあったり、一クラスのはずが急に全校生徒の前でビブリオバトルをすることになってあせったり、島への飛行機が飛ぶかどうかで常に冷《ひ》や汗《あせ》をかいたりしていたことも、終わってみれば貴重な経験だった。

任期終わり間近に、長期でブアラを離《はな》れる出張を入れてしまったことは、任地の人には多少申し訳なかったけれども、この七島を巡業《じゅんぎょう》することができて本当によかった。

20 ビブリオバトルを一〇〇回やったら、ソロモンの秘宝が見つかった？

今からちょうど四五〇年前、スペイン人探検家アルバロ・デ・メンダーニャは、長い航海の末たどり着《つ》いた島々に古代イスラエルの王の秘宝が眠《ねむ》っていると信じ、そこを「ソロモンの島々」と名づけた——。

ぼくが青年海外協力隊としてソロモン諸島に赴任《ふにん》してから、もうすぐ任期の二年が過ぎようとしている。小・中学生の読書推進がミッションだったぼくは、一番の課題を「子どもたちの本にふれる機会が少ないこと」だと考え、本を使ったゲーム「ビブリオバトル」を学校に普及《ふきゅう》させることを目指した。

ソロモン諸島でビブリオバトルを実施《じっし》した回数は計一〇二回。バトラー（発表者）はのべ四六七名、総参加者数はのべ約三千名。新聞に掲載《けいさい》されること十四回、継続《けいぞく》してビブリオバトルを行ってくれている学校は把握《はあく》しているかぎり四校。

　これらの数字が、ぼくの二年間の活動の成果ということになる。ぼくはソロモン諸島の学校で、何かを変化させることができたんだろうか？　その答えは、今の子どもたちが大人《おとな》になる頃《ころ》にわかるのかもしれない。

　配属先とＪＩＣＡでの報告会を終え、最後の年末年始がやってきた。二〇一八年は去年と同じ、ぼくが一番好きなイザベル州の同僚《どうりょう》の村で迎《むか》えることにした。ネット圏外《けんがい》だし発電所もないけど、自分は「ただこの場所にいる」だけで大丈夫《だいじょうぶ》なんだと思わせてくれる、すてきな村だ。疲《つか》れ果《は》てるまで子どもと遊んで、星空を見ながらぼーっとする。そういえば、最初は言葉もで

きないのに村に放《ほう》りこまれたんだっけ。職場に行っても会話もできないし、嫌《いや》になっていたなぁ。

　初めてビブリオバトルを開いてみたときに、手応《てごた》えがあった。学校への出張は最高に大変で、最高に楽しかった。そんな……いろいろなことを思い出している。

　ソロモン諸島に来て一年くらい経《た》つと、ピジン語は日常会話ならかなり理解できるようになった。現地語は、「今日は暑いね」「お腹《なか》すいた」「とっても美味《おい》しい」「道がぬかるんでいるね」「大雨が来たよ」などのフレーズ単位ではＯＫだったが、会話ができるほどにはなれなかった。ただ、さまざまなところへ出張したときに、その場所の現地語のフレーズを習い、それを使うのがとても楽しかった。わずかでも現地語を使うと、現地の方から大歓迎《だいかんげい》してもらえる。

　ぼくは、この二年で成長したというより、どんどん子どもの頃《ころ》の自分を思い出していった気がする。ああ、そうか。ソロモンの秘宝って、メンダーニャが探した金塊《きんかい》とかじゃなくて、ソロモンで過ごす時間そのものだったんだ。

　センチメンタルなことを考えながら、お世話になったコロソリ村で最後の年越《としこ》し。コロソリ村の大晦日《おおみそか》は、日が変わるまで子どもたちが音楽に合わせて踊《おど》る。ソロモンの村版のダンスクラブだ。「日づけがかわる瞬間《しゅんかん》には何かするのかな?」と思っていたら、何事もないかのように踊《おど》りが続いた。

司会をしていたルーベンがぼくに手招きする。

「ヒロ、ケータイは持ってるか?」

「持ってるよ」

「今、何時だ?」

「〇時十三分だけど」

「そうか! ヒロ、カウントダウンをしろ!」

「えっ、いいの?」

「大丈夫《だいじょうぶ》!」

日本なら大騒《おおさわ》ぎになるかもしれないけれど、ここではだれも正確な年越《としこ》しの瞬《しゅん》間《かん》なんて問題にしないのだ。

ああ、ソロモン、好きだなあ。

ルーベンからマイクが手渡《てわた》される。

「さあみんな、もうすぐ年が変わるよ! 準備はいいかい? 一〇、九、…」

こうして、コロソリ村は新しい年を迎《むか》えた。
最後はソロモンらしく飛行機が飛びませんでした、ということはなく、どうやら無事日本に帰国することができた。

ぼくの任期中、「本を持ってソロモンに行こう」というブログを書いていてネットで発信していたが、この年末、本当にソロモン諸島へ英語の絵本を持って来てくれた方がいて驚《おどろ》いた。拙《つたな》いブログだったけど、続けてきて本当によかった。そしてそのブログをもとに、この本を書いている。

真冬の日本に帰国して、やっとふるえが収まった頃《ころ》、ぼくはある大学で働くことにした。立命館大学情報理工学部創発システム研究室。ここは、ビブリオバトルを考案した谷口忠大《ただひろ》教授のラボだ。ぼくはここで、ビブリオバトルのようなルールを使って人のコミュニケーションを改善するという研究を手伝《てつだ》っている。

言葉も文化もちがうソロモン諸島で、ビブリオバトルが受け入れられ、続けてもらえていることは、ぼくにとってうれしいと同時に不思議なことでもあった。もちろん、ビブリオバトルをするのに大きなお金が必要ないことや、ソロモン諸島の人々がもともと話し合いを大切にする習慣を持っていたこと（それからぼくががんばったこと）もあるけど、なんとなく理由はそれだけじゃない気がしていた。

研究室で働いて、研究の資料を調べているなかで、「ビブリオバトルがゲームだから」ということが大事なんだと思い始めた。ゲームだから、みんな勝利したくて参加したくなる。そして、ルールが明確にあれば、たとえばぼくが司会をしていなくても、ソロモン諸島の人たちだけでゲームを進行させることができる。だから、ぼくが帰った後でもビブリオバトルを続けてくれる学校があるのだ。そして、この「ゲームの力」をうまく使うことで、ソロモンだけでなく世界中の子どもたちが読書を楽しめるようにできないだろうか。大学生のとき、ぼくが本に救われたように。

今、ぼくはそんなことを考えながら働いている。

刊行に寄せて　～南の島へ種を運んでくれた君へ～

「今度、青年海外協力隊でソロモン諸島へ行くことになりました。子どもたちに読書を広めてきます！」

人懐《ひとなつ》っこくて屈託《くったく》のない笑顔《えがお》。おもしろい青年だなと思った。いやちがう。おもしろい青年だとは知っていた。でも、勇気を持って、全く新しい挑戦《ちょうせん》へと向かう彼のことを、ぼくは眩《まぶ》しく思った。そして、うれしく思った。彼が南の島へと運んでくれる種は、ぼくが生み、皆《みな》と育てた花が実《みの》らせた果実《かじつ》だったから。

その種の名を「ビブリオバトル」と言う。

本書がついに刊行に漕《こ》ぎ着《つ》けたことを心からうれしく思う。本書の元となった彼のブログ記事をリアルタイムで読んでは、その冒険《ぼうけん》と活躍《かつやく》に胸踊《おど》らせていた四年前を懐《なつ》かしく思い出す。

さて、ぼくと彼の出会いはそこからさらに三年ほど前に遡《さかのぼ》る。

二〇一三年のビブリオバトル首都決戦で、ぼくは初めて彼のことを知った。東京都が主催《しゅさい》するビブリオバトル首都決戦は、年に一度のビブリオバトルの祭典、大学生の全国大会だ。ぼくが代表を務めていたビブリオバトル普及《ふきゅう》委員会が特別協力し、各地の予選会と地区決戦を取りまとめていた。

ある日、そのビブリオバトル首都決戦の「予選会を開きたい」と一人の大学生から予選事務局に問い合わせがあった。それが彼だった。大学生自身も申請《しんせい》すれば予選会を開催《かいさい》することができる。そこに目をつけて「自分が首都決戦に勝ち進みたいから、予選を自分で開催《かいさい》したいんです!」と言うのだ。「おもしろい青年が出てきたなぁ」と笑ったことを思い出す。

本書を読み終えた読者ならば、彼の人柄《ひとがら》のよさと、その人物のおもしろさがわかるだろう。彼は首都決戦をきっかけに、ビブリオバトルと出会い、そして好きになった。首都決戦の終了後《しゅうりょう》には、「バトラーだけじゃ物足りない。普及《ふきゅう》活動にも参加したい」と、ビブリオバトル普及《ふきゅう》委員会にも合流してくれた。

やがて彼は「ビブリオバトルふしみ」を京都の伏見区《ふしみく》を拠点《きょてん》に主宰《しゅさい》し、さまざまなイベントも仕掛《しか》けていく。そして、皆《みな》に愛されるキャラクターと精力的な活動で、瞬《またた》く間《ま》にビブリオバトル界隈《かいわい》の人気者になっていったのだ。ぼくはなんとなく、「関西地区の中心的な人物に育ってくれたらうれしいなぁ」なんて思っていた。……と、思っていたところに「ソロモン諸島」と来たものだ。驚《おどろ》いた。興奮気味に。

大学で教員の仕事をしながら、ぼくはぼくで、発案者兼普及《ふきゅう》委員会代表としてビブリオバトルの普及《ふきゅう》活動にも勤《いそ》しんでいた。また、その頃《ころ》には、ぼく以外にもビブリオバトル関連で各分野の一人者《いちにんしゃ》とでも呼ぶべき人物はたくさん生まれていた。それでも、自ら海外に飛び出して、ビブリオバトルを広めようだなんて言い出した人間は彼が初めてだったと思う。しかも、青年海外協力隊として。

海外の子どもたちにビブリオバトルを届けたい。その想いは、ぼく自身の中にも確かにあった。でも、ぼくは大学を離《はな》れることができない。だから、ぼくはその種を、そっと彼に預けたのだ。心の中で。

そして、彼は南の島へと飛び立った。

あとは、この本に書かれている通りである。ソロモン諸島で彼は孤軍奮闘《こぐんふんとう》。そのようすは時折ブログにアップされ、ぼくは彼の冒険《ぼうけん》と活躍《かつやく》を見守った。

彼の活躍《かつやく》をネット越《ご》しに応援《おうえん》していたのは、ぼくだけではなかった。日本中、たくさんの関係者が彼の活動を応援《おうえん》していたのだ。その結果、彼は数多くの推薦《すいせん》を受けて、翌年の二〇一六年、ビブリオバトルが関《かか》わる顕著《けんちょ》な活動を表彰《ひょうしょう》するBibliobattle of the Year（ＢｏＹ）の初代大賞を受賞することになる。

二〇一六年秋、仙台《せんだい》で開催《かいさい》されたＢｏＹの授賞式の日、ソロモン諸島にいる彼は会場に来ることができなかった。だけど、その代わりに、彼は一本のビデオレターを会場へと送ってきてくれたのだ。

会場の大きなスクリーンにソロモン諸島からのメッセージが流れる。彼の顔がスクリーンいっぱいに映しだされ、感謝の言葉、ソロモン諸島での生活などの映像《えいぞう》が流されていく。そして、ソロモン諸島の子どもたちがビブリオバトルを楽しむようすが映《うつ》し出された。

子どもたちはその手に持った本を紹介《しょうかい》して、質問して、挙手して、賑《にぎ》やかに、ビブリオバトルに興じていた。ソロモン諸島の子どもたちの口から確かに「ビブリオバトル」という言葉が漏《あふ》れる。みんなとても楽しそうだった。
彼が運んだ「ビブリオバトル」の種はソロモン諸島で笑顔《えがお》の花を咲《さ》かせたのだ。そのようすに思わず涙《なみだ》ぐむぼく。彼がビブリオバトルを見つけてくれたことに感謝したし、彼がビブリオバトルを好きになってくれたことに感謝した。そして、彼がそれを南の島へと届けてくれたことに感謝した。

本書が伝えるのは、ビブリオバトルに出会い、青年海外協力隊になった青年の冒険《ぼうけん》と活躍《かつやく》の物語だ。でも、それは同時に、その周囲で彼が運ぶ種子を育てた仲間たちの物語でもあるし、それを受け取ったソロモン諸島の皆《みな》の物語でもある。

ぼくはビブリオバトルの発案者として、そして彼の友人として、本書の出版をうれしく思う。多くの若者がこの本を読んでビブリオバトルに興味を持ってくれたらうれしいし、また、青年海外協力隊のことを知ってもらえるのもうれしい。
だけど、本書のメッセージはそれだけではないのだと、ぼくは思う。この世の中には、種を生む人もいれば、花になり果実《かじつ》を結ぶまで育てる人もいるし、種を運び、また花を咲《さ》かせる人もいる。そうやってぼくらはつながり、文化は花開いていく。この本は、自分にできることを、自分のやり方で、思い切ってやっていこうと、読者がそんなふうに前向きになれるメッセージがこめられた本なのだとぼくは思う。きっと、大切なのはそういうことなのだ。そして、彼はそういう男なのだ。

おもしろい青年は、今、日本に帰ってきて、そしてまた、ビブリオバトルの普《ふ》及《きゅう》活動を引っ張ってくれている。彼との出会いと、彼の活躍《かつやく》に最大限の感謝を示しながら、本書の刊行に寄せる言葉としたい。

初めての書籍《しょせき》刊行おめでとう、益井《ますい》くん。そして、ありがとう!

立命館大学教授/ビブリオバトル発案者　谷口忠大《ただひろ》

二〇二〇年春　京都の自宅にて

参考図書

『ソロモン諸島の生活誌』
（秋道智弥ほか／編集　明石書店）

『南太平洋を知るための58章―メラネシア ポリネシア』
（吉岡政德・石森大知／編著　明石書店）

『銃・病原菌・鉄』
（ジャレド・ダイアモンド／著　草思社）

『ビッグ・デス』
（ジェフリー・ホワイト／著　小柏葉子／監訳　現代史料出版）

『地域的近代を生きるソロモン諸島―紛争・開発・「自律的依存」』
（関根久雄／編著　筑波大学出版会）

協力

（敬称略・順不同）

ビブリオバトル普及委員会
http://www.bibliobattle.jp/

独立行政法人 国際協力機構（JICA）青年海外協力隊
https://www.jica.go.jp/volunteer/

清水梨沙　情野吉彦　本井祐太　太田暁之

【著者プロフィール】

益井博史（ますい　ひろふみ）

1988年生まれ、京都市出身。

ビブリオバトル普及委員会理事。

青年海外協力隊2015年度3次隊。

普段は立命館大学情報理工学部創発システム研究室で、人同士のコミュニケーションに関する研究に携わっている。

得意技は折り紙で羊を折ることと、
ギターのFコードを押さえること。

https://bibliohero.com/

編集●粕谷亮美（SANTA POST）
装丁・本文デザイン・DTP●シマダチカコ

ソロモン諸島でビブリオバトル
ぼくが届けた本との出会い

2020年5月12日　第1刷印刷
2020年5月12日　第1刷発行

著　者●益井　博史
発行者●奥川　隆
発行所●子どもの未来社
〒113-0033　東京都文京区本郷3-26-1 本郷宮田ビル4F
TEL：03-3830-0027　　FAX：03-3830-0028
振替　00150-1-553485
E-mail：co-mirai@f8.dion.ne.jp
HP：http://comirai.shop12.makeshop.jp/

印刷・製本●中央精版印刷株式会社

ISBN978-4-86412-167-5　C0095